W9-CRT-939

UN MANIAQUE AU CHALET

JULIE ROYER

Catalogage avant publication de Bibliothèque et Archives
nationales du Québec et Bibliothèque et Archives Canada

Royer, Julie, auteure

    Un maniaque au chalet / Julie Royer, auteure ; Sabrina Gendron,
illustratrice.

    (Slalom)

    Public cible : Pour les jeunes de 9 ans et plus.

    ISBN 978-2-89709-264-1

    I. Gendron, Sabrina, 1984-, illustratrice. II. Titre. III. Collection :
Slalom.

PS8635.O955M36 2018   jC843'.6   C2018-941165-1
PS9635.O955M36 2018

© 2018 Boomerang éditeur jeunesse inc.
Tous droits réservés. Aucune partie de ce livre ne peut être
copiée ou reproduite sous quelque forme que ce soit sans la
permission de Copibec.

Auteure : **Julie Royer**
Illustratrice : **Sabrina Gendron**
Graphisme : **Julie Deschênes et Mika**

Dépôt légal – Bibliothèque et Archives nationales du Québec,
3e trimestre 2018

ISBN 978-2-89709-264-1

Gouvernement du Québec – Programme de crédit d'impôt
pour l'édition de livres – Gestion SODEC

Boomerang éditeur jeunesse remercie la SODEC pour l'aide
accordée à son programme éditorial.

Imprimé au Canada

Pour Jimmy, Stéphanie,
Charlie, Louis et Maggie.
Une idée pour votre prochain film.

Pour Guillaume.
Tu voulais une histoire effrayante.
Alors, en voilà une.

SCÈNE

1

VENDREDI SOIR, AU BOUT DU MONDE

— **Youhouuuu !** On est arrivés !

Une camionnette rouge freine dans la cour en gravier. La portière arrière s'ouvre en coulissant. Trois jeunes sortent du véhicule, heureux de pouvoir **ENFIN** se dégourdir. Quatre heures de route séparent la maison du chalet en bois rond des arrière-grands-parents maternels de Charlie. Les passagers ont donc des fourmis dans les jambes.

— **Venez**, dit Charlie à Louis et à sa sœur Maggie en les entraînant vers l'entrée du chalet. Je vais vous montrer le dortoir ! Il est dans le grenier !

WOW ! Ils s'apprêtent à passer des jours de rêve, au bout du monde, dans la forêt. Toutes sortes d'activités sont prévues : feu de camp, pêche, baignade dans la rivière et tournage d'un film d'épouvante.

En effet, Charlie et ses amis sont de grands amateurs de cinéma d'horreur. Leur cinéaste préféré, c'est Hemon Globill. Ils ont vu et revu tous ses films : *La maison aux poupées tueuses*, *La bibliothécaire zombie*, *Le suppléant fantôme*, *L'ogre du CPE*, *La brigadière vampire*, *L'école des cannibales*. Toutefois, le film qu'ils aiment par-dessus tout, c'est *Un maniaque au chalet*.

Ce film raconte l'histoire de trois jeunes qui passent une fin de semaine au chalet, dans un endroit isolé, avec leurs parents cinéastes. Leurs vacances tournent au cauchemar quand un **MANIAQUE** entre en scène avec sa caméra. L'histoire se termine de façon terrifiante, alors que tout le monde devient fou avant de mourir de peur.

C'est **justement** ce film, sorti il y a quelques semaines à peine, que les trois amis souhaitent reprendre à leur manière. Ils ont tout préparé avec les parents de Charlie : le scénario, les décors, les costumes, les accessoires. Comme Jimmy, son père, est un vrai cinéaste et que Stéphanie, sa mère, est une artiste en arts visuels, leur œuvre sera de calibre professionnel !

— **Waouh !** C'est beau, ici ! s'exclame Maggie en jetant son sac à dos sur un lit.

— Vraiment, répond Louis en grimpant à l'échelle qui mène au sommet d'un lit à deux étages. **Ahhhh...** génial... on va bien dormir ; le matelas est moelleux.

— J'ai pas l'intention de dormir, **Moi !** riposte Charlie en rigolant. On va passer la nuit à se raconter des histoires de peur autour du feu !

Louis, gourmand, lâche :

— Je suis partant pour les histoires, à condition de faire griller des guimauves. J'espère qu'on ne les a pas oubliées.

— Non, répond Charlie. On en a acheté un gros sac. On va pouvoir en manger, mais il va falloir en garder pour le tournage de la scène…

— … des guimauves sanglantes ! **OUAHAHAHAHAHAHAHA !** crient les garçons d'une seule voix, en imitant le rire dément du maniaque de leur film préféré.

Soudain, la voix de Jimmy retentit au rez-de-chaussée :

— Hé! Ça vous dirait de m'aider à sortir les décors et le matériel de la camionnette?

Évidemment, ils ne se font pas prier.

— J'ai l'impression que je vais vivre les vacances **les plus cool** de toute ma vie! dit Maggie, les bras pleins de sacs remplis de perruques et de produits pour créer des maquillages et des effets spéciaux.

— Tu l'as dit, enchaîne Charlie, un projecteur dans chaque main. Je suis content de vivre cette expérience avec vous.

— C'est sûr, répond Louis, en sou-levant la valise contenant le costume et les accessoires du personnage du maniaque. **OUACHE !** Oh non !

Jimmy, qui prend des images depuis le début pour tourner un film à propos du film, braque son objectif sur la valise, du fond de laquelle s'écoule un épais liquide cramoisi. C'est du sirop de maïs mêlé à du colorant alimentaire, qui imite le sang à la perfection. Une bouteille rangée dans les bagages s'est probablement ouverte, provoquant ce dégât visqueux.

En apercevant la caméra, Louis, les mains poisseuses, lâche brusquement la valise et dit à l'objectif, les yeux révulsés, la voix éteinte :

— AU SECOURS... JE MEURS...

Il se laisse tomber sur le sol et, après quelques soubresauts, s'immobilise, la bouche ouverte.

Si les pitreries de Louis font pouffer Charlie, Maggie, elle, n'entend pas à rire.

— T'es idiot, mon frère!

— Qu'est-ce qui se passe ici? demande Stéphanie en rejoignant la troupe. Dites-moi pas qu'on a déjà un mort au chalet!

Puis, apercevant le dégât:

— **ZUT !** Le sang du maniaque a coulé dans la valise! Il va falloir laver son linge, si on veut qu'il soit propre pour attaquer le chalet! Hi! Hi! Venez! On va souper! Avez-vous faim?

— **OUAIS...**, répond Louis d'une voix lugubre en se relevant. Il faut manger... ce sera peut-être notre dernier repas! **HA! HA!**

Stéphanie soulève délicatement la valise maculée de faux sang avant de retourner au chalet, accompagnée de Jimmy, qui jette un œil sur les images qu'il a prises pour en analyser la lumière. Charlie et Louis les suivent en rigolant, les bras tendus, comme les usagers mordus par l'héroïne monstrueuse de *La bibliothécaire zombie*.

Derrière eux, Maggie frissonne. Des guêpes se sont posées dans la flaque de sirop sanglant. La jeune fille craint les guêpes. Elle est **allergique** à leurs piqûres.

Voyant que sa sœur tarde à les rejoindre, Louis revient vers elle et tente de la prendre par les épaules, imitant toujours la bibliothécaire morte-vivante.

— **LÂCHE-MOI !** crie Maggie. T'es tout sale et collant ! J'ai pas envie de me faire piquer à cause de toi ! Pis arrête de faire le **ZOMBIE**, y a personne qui te filme, là !

Louis laisse tomber ses bras.

— Euh… désolé.

— Tu m'énerves, aussi, quand tu fais semblant d'être mort juste pour niaiser. À force d'appeler le mauvais sort, il va finir par arriver, tu sais!

— Ben… c'était juste une blague. T'aimes les **films d'horreur**, non?

— Oui, mais les films, c'est les films; et la vie, c'est la vie. Faut pas faire exprès d'attirer les esprits malfaisants dans la réalité!

— **PFFF!** Les fantômes, ça existe pas!

L'arrivée de Charlie interrompt leur discussion.

— Qu'est-ce que vous faites ? Ma mère prépare des croque-monsieur !

À cette annonce, Maggie et Louis oublient leur différend comme par magie.

— **Miam !** s'écrie la jeune fille. Les croque-monsieur de ta mère sont les meilleurs au monde !

— Ouais ! Ils sont tellement bons qu'ils creuseraient l'appétit des morts ! ajoute Louis, incapable de s'empêcher de faire des blagues douteuses.

— LOUIS ! GRRR ! ! !

Maggie donne une pichenotte à son frère, qui éclate de rire, avant d'entrer dans le chalet. La porte se referme derrière les jeunes en claquant.

Indifférentes à tout ce **tohu-bohu**, les guêpes, voraces, poursuivent leur repas sanguinolent.

SCÈNE

2

SAMEDI MATIN, À LA CUISINE

Charlie et ses amis s'éveillent après une bonne nuit de sommeil. Ils avaient l'intention de passer une **NUIT BLANCHE**, mais Jimmy et Stéphanie leur ont expliqué qu'une longue journée de tournage les attendait le lendemain. Aussi, après un copieux souper et quelques parties de Mille Bornes, ils sont sagement montés au dortoir et se sont endormis dans le temps de le dire.

Ce matin, le ciel est radieux, les oiseaux chantent, et les trois jeunes ont une faim de loup. Justement, la table est couverte de plats appétissants : crêpes, bacon, crème fouettée, petits fruits, sirop d'érable, pain aux raisins, beurre, chocolat chaud.

Tandis que ses amis s'attablent, Charlie jette un œil à la fenêtre. Stéphanie est en train d'étendre le costume du **MANIAQUE** sur la corde à linge, alors que Jimmy photographie le paysage.

Charlie prend une assiette. C'est alors qu'il voit la tablette de sa mère, oubliée sur la table.

— Est-ce qu'on a accès au Web, ici ? demande Maggie.

Elle remplit de chocolat chaud une tasse en forme de citrouille.

— Des fois oui, des fois non. Ça dépend des jours et de la température. On ne sait pas trop pourquoi. Mais aujourd'hui, oui ! **Regarde !**

Charlie tourne la tablette du côté de ses amis. L'écran donne à voir la une du *Journal Delaville*, consacrée à… **ses parents !** Le titre de l'article qui les concerne est *Week-end au chalet*. En dessous, une photo montre Jimmy et Stéphanie, côte à côte, en tenue de soirée.

21

Journal Delaville

Actualités · Arts · Sports · Affaires · Divers

Week-end au chalet!

Rencontré au gala annuel du Cinéma Delaville, le populaire couple d'artistes a gracieusement accepté de répondre à nos questions. Nous avons d'abord demandé à Jimmy sur quoi porterait son prochain film.

— C'est top secret pour le moment. Ce que je peux vous dire, c'est qu'il vous fera sursauter à plusieurs reprises !

C'est noté ! Nous avons ensuite demandé à Stéphanie, récipiendaire du Fusain d'or cette année pour l'ensemble de son œuvre, fort appréciée du public et des collectionneurs, à quel projet elle travaillait.

— En ce moment, je peins des monstres, des personnages diaboliques. C'est que je suis en train de monter une exposition consacrée aux films d'horreur, un genre que nous aimons regarder en famille.

Le couple rit, après quoi Jimmy nous confie.

— On compte passer quelques jours au chalet avec notre fils Charlie et ses amis Louis et Maggie. On a l'intention de tourner une [...] film Un maniaque au chalet. On adore [...] C'est le plus effrayant de tous [...] Globiil. Nous autres, on [...]

Eh bien, souhaitons-[...] un succès monstre [...] Espérons tou[...] se présente[...]

Charlie lit le texte à haute voix :

Rencontré au gala annuel du Cinéma Delaville, le populaire couple d'artistes a gracieusement accepté de répondre à nos questions. Nous avons d'abord demandé à Jimmy sur quoi porterait son prochain film, ce à quoi il a répondu :

— C'est top secret pour le moment. Par contre, ce que je peux vous dire, c'est qu'il vous fera sursauter à plusieurs reprises !

C'est noté ! Nous avons ensuite demandé à Stéphanie, récipiendaire du Fusain d'or cette année pour l'ensemble de son œuvre, fort appréciée du public et des collectionneurs, à quel projet elle travaillait.

— En ce moment, je peins des monstres, des personnages diaboliques. C'est que je suis en train de monter une exposition consacrée aux films d'horreur, un genre que nous aimons regarder en famille.

Le couple rit, après quoi Jimmy nous confie :

— On compte passer quelques jours au chalet avec notre fils Charlie et ses amis Louis et Maggie. On a l'intention de tourner une reprise du film *Un maniaque au chalet*. On adore ce film ! C'est le plus effrayant de toute la filmographie de Globill. Nous autres, on aime ça avoir peur !

Eh bien, souhaitons-leur de bonnes vacances ! Et un succès monstre dans tous leurs projets ! Espérons tout de même qu'aucun maniaque ne se présentera au chalet durant leur séjour !

Quand Charlie repose la tablette sur la table, ses amis laissent exploser leur joie :

— C'est donc bien *nice* ! s'écrie Louis, aux anges. **Ton père parle de nous dans le journal !** Toute la ville doit avoir lu l'article !

— Peut-être même qu'**HEMON GLOBILL** l'a lu! ajoute Maggie en s'éventant avec une serviette de table. Imaginez le scénario : Globill visionne notre film, et il est tellement **ébloui par notre talent** qu'il nous demande de jouer dans sa prochaine production! À titre de vedettes, évidemment!

— **OUAIS**, mais pour que Globill puisse voir notre version, il faudrait d'abord la tourner! rigole Jimmy en entrant dans la cuisine. Au travail, les artistes!

Les jeunes, enthousiastes, se lèvent et aident à débarrasser la table. Ensuite, Charlie et Maggie montent au dortoir, tandis que Louis va à la salle de bains. Pendant ce temps, Stéphanie fait couler l'eau pour laver la vaisselle. Jimmy la rejoint après avoir allumé la télé. Soudain, on interrompt l'émission en cours pour présenter un **bulletin spécial**.

La nuit dernière, Edmoutt Sangris, surnommé le Cinéaste, s'est évadé de la prison où il était détenu depuis plusieurs mois, dans une aile réservée aux criminels extrêmement dangereux. Sangris tient son surnom du fait qu'il a la manie de reproduire, tout en les filmant, les pires scènes de ses films d'horreur favoris. Il aime particulièrement reprendre les films d'Hemon Globill.

Rappelons que la police avait procédé à son arrestation alors qu'il tenait en otage la direction, les éducateurs et les enfants d'un centre de la petite enfance. L'intervention avait eu lieu au moment où il assaisonnait un bébé de sel, de poivre et de sarriette, comme dans **L'ogre du CPE**. Cette arrestation avait marqué l'imaginaire populaire, cela va sans dire.

C'est la **deuxième fois** que le Cinéaste réussit à s'évader de prison. En effet, il y a quelques années, on l'avait arrêté alors qu'il se cachait dans le bois après avoir tenté, sans succès, de tourner une reprise de **La bibliothécaire zombie**.

La victime du Cinéaste, une bibliothécaire que nous avons jointe à son domicile, a déclaré, en apprenant l'évasion du criminel :

« **Oh mon Dieu !** Je fais des cauchemars toutes les nuits depuis que j'ai eu affaire à lui ! J'espère qu'on l'arrêtera vite et qu'on l'enfermera. **Il est fou à lier !** Avec Sangris en liberté, le monde n'est plus en sécurité ! »

Les autorités policières mettent tout en œuvre pour arrêter Edmoutt Sangris. Elles sont sur le qui-vive, puisque Hemon Globill vient tout juste de faire paraître un nouveau film, Un maniaque au chalet. On pense que, si le Cinéaste s'est

évadé, c'est qu'il a l'intention
de revisiter cette œuvre.

Nous vous prions donc d'être
vigilants. Ce criminel est
imprévisible et probablement
armé. Si vous croyez le
reconnaître, n'essayez
surtout pas d'intervenir ;
appelez plutôt la police...

— **WOUH...** Tout un personnage, commente Stéphanie.

— Ouais, acquiesce Jimmy. Assez fêlé...

Du dortoir, les jeunes ont également entendu le bulletin spécial.

— Ça fait **PEUR**, cette histoire de maniaque évadé. Penses-tu qu'on est à l'abri, ici ? demande Maggie.

— Certain, dit Charlie pour la rassurer. On est loin de tout ! Qu'est-ce qu'il viendrait faire ici, dis-moi ?

Tout à coup, un cri retentit dans la cuisine :

— **AHHHHHH !**

C'EST LOUIS ! Alarmés, Charlie et Maggie dévalent l'escalier. Leur ami vient vers eux, grimaçant de douleur, tenant sa main contre sa poitrine.

— Il y a un vieux rasoir dans la salle de bains. En voulant jouer avec, je me suis coupé…

Plac! Sa main tombe sur le sol en faisant un bruit mou. Charlie et Maggie blêmissent et hurlent de terreur :

— **OUAHHHHH !**

— Oh mon Dieu ! s'écrie Stéphanie.

Un grand sourire se dessine sur le visage de Louis, qui se penche pour ramasser la main.

— **POUAAAAAAH !** Je vous ai bien eus ! C'est une main en **CAOUTCHOUC !** Je l'avais apportée dans mes bagages, au cas où. Regardez : je la prends, je cache ma vraie main dans la manche de mon pyjama, et le tour est joué !

Abasourdis, Maggie, Charlie et Stéphanie se tournent du côté de Jimmy, qui est en train de les filmer.

— **Coupez ! Ahhhh !** Si vous aviez vu vos têtes ! Ça va faire une bonne scène pour notre film à propos du film. **Ha ! Ha ! Ha !** Bravo, Louis !

Le garçon lui adresse un sourire complice. Soulagée de constater que cet épisode n'était qu'une blague orchestrée par Jimmy et Louis, Stéphanie lâche :

— **OURIN**, vous êtes coquins…

Habitué aux mises en scène de son ami, Charlie hausse les épaules, avec un sourire en coin. Quant à Maggie, elle contrôle difficilement sa colère.

— J'vous trouve pas drôles, moi. Louis, un bon jour, tu vas appeler au secours pour vrai et on fera rien pour te venir en aide. Comme dans l'histoire du petit garçon qui criait au loup! **GRRROUAH!**

SCÈNE

3

LE CINÉASTE

Dans un restaurant de campagne, un homme de petite taille portant des **vêtements sombres**, un béret noir et des verres fumés sirote un café. Il est en train de feuilleter un exemplaire papier du *Journal Delaville,* quand un texte retient son attention. Il s'agit plus précisément de l'entrevue accordée par Jimmy et Stéphanie, dans laquelle ils confient au journaliste qu'ils comptent passer la fin de semaine au chalet.

Une serveuse passe à sa table.

— Vous voulez encore un peu de café ?

— **NON !** aboie l'homme, qui déteste être dérangé quand il lit.

La femme recule, surprise. Elle va poursuivre son chemin, quand le client lui saisit le bras.

Elle sursaute.

L'inconnu feint de se radoucir et s'efforce de parler d'une voix charmante :

— Excusez-moi. J'ai de mauvaises manières. Je prendrais encore du café, finalement. Il est tellement bon. Merci. Vous habitez un beau coin de pays. Beaucoup de gens doivent avoir des chalets, par ici…

La femme, désarçonnée, répond :

— Oui…

L'inconnu sourit. Il a des dents de **CARNASSIER.**

— Ça ne me surprend pas. Votre restaurant est accueillant et votre cuisine est **délicieuse**. Est-ce que des vedettes viennent y faire leur tour quand ils sont dans le coin ?

En parlant, l'homme a tourné le journal du côté de la serveuse pour qu'elle voie bien la photo des parents de Charlie. Elle pousse un petit cri en les reconnaissant.

— **Oui !** Eux autres, par exemple ! Ils sont justement ici pour la fin de semaine. Hier, ils sont passés prendre de la sauce à spaghetti, des pâtés au poulet et du ragoût de boulettes surgelé. Ils sont tellement fins, tellement simples. C'est du bien bon monde, et…

L'homme l'interrompt.

— Où se trouve leur chalet ?

L'imprudente, qui veut se rendre intéressante en montrant qu'elle connaît des **artistes populaires**, lisse son tablier avant de révéler à son interlocuteur :

— Leur chalet est situé sur le bord de la rivière, à environ trente minutes d'ici. Pour s'y rendre, on continue tout droit, sur la rue principale. On prend la première route à droite après la croix de chemin; ensuite, on entre dans le bois et on suit les indications pour se rendre au domaine Alfred-H. C'est tout au bout que se dresse le chalet. Il est en bois rond. Les chanceux, ils n'ont **pas de voisins!** Ils doivent être tranquilles quand ils prennent des vacances!

L'homme se lève et sort de sa poche un billet de dix dollars qu'il laisse tomber sur la table. La serveuse remarque alors qu'il a les **ONGLES LONGS.**

— Merci, dit l'inconnu en se dirigeant vers la sortie. **Gardez la
monnaie...**

Une clochette tinte au moment où il
franchit le seuil. La serveuse regarde
longuement l'homme, pensive. Il lui
semble l'avoir déjà vu quelque part.

« Serait-il, lui aussi, une vedette du
grand écran ? Quel être **BIZARRE**,
tout de même ! Il a quelque chose de
mystérieux, **D'INQUIÉTANT**. »

***

Le Cinéaste prend place à bord
d'un véhicule qu'il a volé, alors
qu'il venait tout juste de s'évader
du pénitencier. Il jette un regard

sur la banquette arrière. Tout y est. Avant de prendre le chemin de la campagne, il a cambriolé un petit commerce, prenant des caméras, des projecteurs, et tout le matériel dont il aura besoin pour tourner son interprétation d'*Un maniaque au chalet*. Il sait d'ailleurs où il créera son œuvre. Qui en seront les vedettes. **Et il se sent inspiré...**

SCÈNE

4

ACTION!

Caché dans un bosquet, Edmoutt Sangris jette un œil aux moniteurs couplés aux caméras qu'il a installées sur les lieux où se trouvent Charlie, ses parents et ses amis. Pendant qu'ils étaient occupés ailleurs, il en a placé une dans les branches d'un grand chêne, devant l'entrée principale du chalet. Il en a dissimulé une autre face au hangar qui jouxte le chalet. Il a même réussi à en cacher une dans la corniche d'une cabane, au bord de la rivière.

Grâce à celle-ci, il peut **ÉPIER** Jimmy, qui donne des directives aux enfants, tandis que Stéphanie ajuste leurs costumes et vérifie leur maquillage.

— **Bien**, se dit Sangris, satisfait de lui-même.

Le Cinéaste jette un œil à la caméra qui donne sur le chalet. C'est alors qu'il aperçoit la corde à linge, sur laquelle sont suspendus les vêtements du personnage du **MANIAQUE**, qu'il reconnaît illico.

— Hé, se dit-il, frappé d'une illumination. Un costume, **JUSTE POUR MOI !**

Edmoutt observe ce qui se passe du côté de la caméra trois, près de la rivière. La troupe semble bien occupée. Il en profite donc pour quitter sa cachette et, excité par son nouveau projet, il prend la direction du chalet.

***

— **OK**, dit Jimmy à l'intention des trois jeunes comédiens. Dans cette scène, vous courez aussi vite que vous le pouvez pour montrer au spectateur que vous vous sauvez du **MANIAQUE**. En arrivant devant le cabanon, vous vous arrêtez pour reprendre votre souffle. Là, vous tournez la tête vers moi, comme si ma caméra était votre poursuivant. Vous criez et vous recommencez à courir à travers les arbres, en vous enfonçant dans la forêt. **COMPRIS ?**

Les jeunes hochent la tête. Stéphanie ajuste leurs costumes, constitués de vêtements déchirés, de façon à donner l'impression que les enfants ont passé de durs moments à se battre pour survivre dans la nature. Elle décoiffe ensuite les acteurs et applique de la poudre noire et brune sur leurs joues et leur front pour simuler la poussière, la terre, la saleté.

— **En place !** crie Jimmy.

Les trois comédiens vont s'installer devant la caméra. Stéphanie les suit avec une claquette.

Jimmy ajuste l'objectif de sa caméra. Il fait ensuite signe à Stéphanie, qui soulève la planchette supérieure de la claquette, avant de dire :

— *Un maniaque au chalet*, scène un, prise un.

CLAP !

Jimmy lève ensuite le bras et crie :

— Action !

Au signal, les trois jeunes dévalent la butte qui mène à la cabane, au bord de l'eau. Là, ils comptent jusqu'à cinq en reprenant leur souffle. Charlie, soudain, se retourne et feint d'apercevoir un **MANIAQUE**. Il écarquille les yeux et agrippe les bras de ses amis, qui se mettent à hurler à en perdre la voix. Ils reprennent ensuite leur course vers la forêt, et disparaissent entre les arbres.

— COUPEZ!

Ravi de cette prise, Jimmy échange quelques mots avec Stéphanie au sujet de la prochaine scène.

Une dizaine de minutes passent, au bout desquelles les parents de Charlie commencent à se demander ce que font les jeunes, qui ne sont toujours pas revenus.

Soudain, un hurlement retentit :

— OUAHHHHHHHHHH !

Les jeunes sortent du bois, maculés de taches rouge sang. Louis a les bras et le visage égratignés, de même qu'un genou écorché.

— On a trouvé des framboises sauvages, explique Maggie à Stéphanie. On a commencé à en manger, puis les gars ont eu l'idée de faire une bataille. Ils se sont mis à courir tout en se lançant des fruits…

— À un moment donné, poursuit Charlie, Louis a glissé et est tombé dans les framboisiers.

— **Dans l'herbe à puce**, je crois, conclut Louis, piteux. Là, ça commence à me piquer, puis j'ai mal au genou…

Tout en parlant, le garçon se gratte les mains, les joues, le cou.

— Si tu as touché à de l'herbe à puce, tu ne devrais pas en ressentir les effets avant plusieurs heures, dit Stéphanie. Pour le moment, si ça te pique, c'est que ta peau est irritée. Mais il n'y a aucun risque à prendre. Viens à l'intérieur, tu vas te laver, changer de vêtements et je vais soigner ton genou.

Le groupe revient au chalet en silence. Cette mésaventure a assombri la joie des jeunes.

— **TU VOIS, LOUIS,** lâche Maggie, sentencieuse, quand on provoque la malchance, on récolte des problèmes.

— Ce qui est arrivé à Louis n'est qu'un **accident**, répond Jimmy. Puis, de l'herbe à puce, à la campagne, il y en a partout!

De retour au chalet, Stéphanie s'occupe de Louis, tandis que Jimmy prend en charge Charlie et Maggie.

— On va continuer en tournant une scène dans laquelle on n'a pas besoin de Louis. On pourrait, par exemple, jouer la scène où le **MANIAQUE** arrive au chalet et espionne ses victimes.

Les comédiens écoutent attentivement.

— Comme Stéphanie est occupée avec Louis, c'est toi, Charlie, qui vas tenir le rôle du **MANIAQUE** dans cette scène. Ça ne changera rien au scénario. De toute façon, tu seras de dos.

— D'accord.

— Bien. Va te changer. Pendant ce temps-là, Maggie, va prendre des nouvelles de ton frère. Moi, je vais installer le matériel.

Maggie entre dans le chalet par la porte arrière, qui donne sur le salon, pendant que Charlie se dirige vers la corde à linge pour prendre les vêtements du personnage, qui doivent être secs.

Il revient bredouille.

— Maman ? T'as vu les vêtements du maniaque ?

— Ils sont sur la corde ! crie Stéphanie, depuis la salle de lavage.

— MAIS NON !

— **AHHH...** Demande à Jimmy, alors. Peut-être qu'il les a déjà retirés de la corde.

Charlie va rejoindre son père dans la cour. Ce dernier est en train d'analyser la lumière avec un posemètre.

— Papa?

— Mmm?

— J'trouve pas le costume du maniaque.

Jimmy lève les yeux de son appareil, incrédule.

— **Voyons donc !** Il peut pas s'être envolé !

— On l'a peut-être volé…

Jimmy se gratte la tête, intrigué.

— Qui aurait pu prendre ces vieux vêtements ?

Le père de Charlie range son pose-mètre dans la poche de son jeans.

— **VIENS,** on va fouiller les alentours. Le costume ne doit pas être bien loin.

***

Pendant que le père et le fils cherchent le costume perdu, Edmoutt Sangris finit de boutonner sa chemise. Elle est un peu juste et les manches sont légèrement trop courtes, mais ça ira. S'il avait eu plus de temps, il aurait fabriqué un costume en tous points pareil à celui du personnage de Globill. Le Cinéaste a un **grand souci du détail**. Pour lui, rien ne doit être laissé au hasard.

— Mais je vais devoir faire avec, explique-t-il à l'objectif de son cellulaire. De toute façon, dans ce film, je serai le plus souvent derrière la caméra. Allez, tout est en place. Je m'apprête à tourner le plus grand film de ma carrière. **Action !**

Sangris approche le téléphone si près de son visage qu'on ne voit que ses yeux rougis par le manque de sommeil, son nez aux pores dilatés, couvert de veinules éclatées mauves et rouges, de même que sa bouche aux lèvres minces, dont les canines brunies sont ébréchées.

Il sourit et, incapable de se retenir tant sa joie est grande, il éclate d'un **RIRE DÉMENT**.

SCÈNE

5

À DEUX PAS DU DANGER

Charlie, Jimmy et Maggie ont beau passer les alentours au peigne fin, ils ne trouvent pas le costume qu'ils ont fabriqué pour leur personnage.

— C'est pas grave, dit Stéphanie en les rejoignant. On va pouvoir en créer un semblable en fouillant dans le coffre en cèdre du dortoir. Il est plein de vêtements. Viens, Charlie, on va t'habiller.

— C'est juste **TRÈS ÉTRANGE**, insiste Jimmy. J'ai jamais vu ça, des vêtements qui disparaissent **TOUT SEULS!**

— Ben moi, grogne Maggie, je pense que c'est peut-être un tour de mon frère. Ce serait son style. À moins que ce ne soit un **REVENANT** qu'on a réveillé en faisant de mauvaises blagues.

Stéphanie met la main sur l'épaule de la jeune fille.

— Il n'y a pas de **FANTÔME** au chalet, c'est sûr et certain. Quant à ton frère, je ne crois pas qu'il soit en mesure de jouer des tours en ce moment! Non, moi, je pense qu'il doit y avoir une raison toute simple à cette disparition. On va finir par retrouver le costume, tu vas voir.

***

Quand Charlie ressort du chalet, au bout de trois quarts d'heure, il porte à peu près ce qu'on avait prévu pour le personnage du maniaque : un chapeau gris foncé, une chemise blanche, une veste sans manches en laine beige, une écharpe en laine rouge, un pantalon et des souliers noirs.

— **C'est parfait,** dit Jimmy en l'apercevant.

— Ouais, répond le garçon en se pinçant le nez. C'est juste que ça sent les boules à mites. **POUAH!**

— **Ahhhh,** ça fait partie des risques du métier. Allez, on va prendre quelques images! La lumière est parfaite.

Charlie, son amie et son père retournent près de la rivière, où ils tournent une scène pendant laquelle le garçon, tenant le rôle du maniaque, filme Maggie, en train de remplir une bouteille à même le cours d'eau.

— **Coupez!** Hé! C'est extra! dit Jimmy. Maintenant, on va entrer dans le bois pour filmer la prochaine scène.

En les voyant s'approcher de son quartier général, le Cinéaste sent son cœur battre à tout rompre. «Non, songe-t-il, à la fois excité et inquiet. Il ne faut pas qu'ils me découvrent tout de suite!»

Tout à leur projet, Jimmy et ses comédiens passent à deux pas du Cinéaste sans même s'apercevoir de sa présence.

— Ici, explique le père de Charlie, on va tourner une scène où le **MANIAQUE** épie la jeune fille, qui cueille des framboises sauvages. Elle veut apporter de quoi manger à son frère, qui est blessé et qui est resté au chalet, alors que son ami veille sur lui parce que les parents sont partis chercher de l'aide en ville. Alors, tu vas prendre des fruits et utiliser le bas de ta chemise comme s'il s'agissait d'un panier. **C'est compris ?**

— Ouais.

— Et toi, Charlie, tu vas te placer derrière l'arbre et observer Maggie. Je vais te filmer de dos. C'est bon ?

— **Cool.**

— Donc, récapitule Jimmy, tu espionnes, et toi, tu cueilles. Action !

La scène dure deux minutes tout au plus. Edmoutt Sangris y assiste en jubilant. Il est tellement près de ses « comédiens » qu'il peut faire des plans rapprochés de leur visage. Une brise soulève une mèche de cheveux de Maggie, qui a de jolies taches de rousseur et les joues d'un rose magnifique. **« Elle est pleine de vie »**, pense l'homme en essuyant avec un mouchoir de tissu la bave blanchâtre qu'il a au coin des lèvres. Quant à Charlie, il a des yeux vifs, couleur de miel, et de très longs cils. **« Il est très photogénique »**, songe l'homme, subjugué. « Je n'aurais jamais pensé capter de si belles images d'eux, en tout cas, pas avant de les **SURPRENDRE** dans leur sommeil, au chalet. »

***

— **OK !** crie Jimmy. On change de place !

L'équipe prend le chemin du retour en grignotant les petits fruits que Maggie a cueillis.

— Dans la prochaine scène, Charlie, tu vas raser les murs du chalet et écornifler par les fenêtres, caméra à la main. Tu viens d'arriver sur les lieux, et tu veux voir tes victimes de plus près. **C'est bon ?** Tu y vas comme tu le sens. **Action !**

On tourne la scène sans anicroche.

— On arrête pour le dîner ! Vous avez fait du bon boulot. Ça m'sur-prendrait pas qu'on remporte des trophées avec notre film ! ajoute Jimmy avec un clin d'œil.

Le trio entre dans le chalet en blaguant.

La porte se referme, laissant Sangris seul dans son bosquet. Il éteint ses caméras, satisfait des images qu'il a prises. « La scène qu'ils viennent de tourner est **parfaite**. C'est avec elle que je vais commencer mon film. »

SCÈNE

6

LE MANIAQUE ET SON DOUBLE

— **Comment vas-tu ?** demande Charlie à Louis en entrant dans la cuisine.

— Je vais mieux. Ça ne pique plus. Mon genou me fait **UN PEU MAL**, par contre.

— Attends encore, rigole Maggie. Si tu es vraiment tombé dans l'herbe à puce, ça va te démanger tantôt ! Puis, tu vas te couvrir de rougeurs et de pustules. Remarque, ça pourrait être intéressant pour notre film! On pourrait y ajouter un personnage de **MONSTRE BOUTONNEUX** qui se gratte sans arrêt…

Louis se braque.

— **GNAN, GNAN, GNAN…** Tu peux te moquer de moi. Je te verrais bien à ma place!

Stéphanie interrompt cette prise de bec en posant sur la table une pizza extra fromage et extra pepperoni, dorée à point.

— Louis devrait s'en sortir. Je vais le garder un peu cet après-midi, tout en travaillant à la trame sonore du film. J'ai des pinceaux à lui faire nettoyer.

Quand il aura terminé cette tâche, il pourra vous rejoindre.

— **Super !** répond Jimmy. En attendant, on va se débrouiller, dit-il en servant d'énormes pointes à la ronde. Bon appétit !

Les dîneurs, qui raffolent de la pizza, entament **joyeusement** leur festin en ignorant tout de la menace qui plane sur eux.

Resté seul à l'extérieur, le maniaque, qui a un odorat ultra développé, hume avec envie les effluves qui lui parviennent du chalet. Il regrette de ne pas avoir pensé à acheter quelques victuailles au restaurant. Mais il sait se débrouiller. Lors d'une cavale, il y a plusieurs années, il avait passé plusieurs jours caché dans un bois avant de se faire épingler par la police, à la suite d'un tournage qu'il n'avait pas pu terminer. En effet, l'une de ses victimes, une bibliothécaire, avait réussi à composer le **911** avant qu'il ne lui donne l'apparence d'une **ZOMBiE**. Il s'était sauvé juste avant l'arrivée des forces de l'ordre. Il avait survécu en mangeant des racines, des feuilles, des fruits sauvages...

— Des bestioles, murmure-t-il en soulevant une pierre.

Dessous se terre une colonie de cloportes, qui s'éparpillent en apercevant la lumière. Sangris les attrape un à un entre son pouce et son index et les pose dans sa paume. Quand il en a accumulé une belle quantité, il les porte à sa bouche et les **CROQUE**. Il les mâche longuement.

— Cette fois, je vais avoir tout mon temps. Personne ne viendra gâcher mon travail. Je vais créer une **œuvre magistrale !**

Le Cinéaste enfourne une nouvelle poignée de crustacés. Il les écrase sur son palais avec sa langue, pour le plaisir d'entendre leur carapace **EXPLOSER.**

***

— OK, là, explique Jimmy à Charlie et à Maggie, vous marchez vers moi en regardant d'un côté et de l'autre du sentier, comme si vous vous attendiez à voir surgir le maniaque du chalet. Vous devez froncer les sourcils, courber les épaules. Parce que vous êtes inquiets. Vous avez peur. Vous faites quelques pas et, soudain, vous trouvez un foulard par terre. Vous le ramassez et vous échangez vos impressions. Pour vous, c'est clair : **LE PRÉDATEUR** n'est pas loin. Vous vous regardez longuement. Fin de la scène. Vous vous souvenez de votre texte ?

— Oui.

Jimmy pose le foulard sur le sol.

— OK. Installez-vous et… **action !**

De son quartier général, Edmoutt Sangris observe les jeunes et le père sur l'écran du moniteur couplé à la caméra du hangar. D'après lui, les comédiens auraient besoin d'indications précises quant à la gestuelle et aux **expressions faciales** liées à la **PEUR**. Il les trouve plutôt détendus, pour des jeunes qui jouent des rôles de proies, qui, logiquement, devraient être extrêmement **STRESSÉES**. Il considère d'ailleurs qu'ils manquent de naturel. «Tut, tut, Ed, se sermonne-t-il. Reste tranquille. Continue de les observer pour apprendre à les connaître. Tu pourras bientôt les diriger **À TON GOÛT**.»

Mais il a beau se parler, tenter de se raisonner, se dire qu'il pourrait se faire voir trop tôt – ce qui pourrait nuire à son scénario –, à un moment donné, il n'y tient plus. Il lui faut voir ses « comédiens » de plus près.

***

— C'est le foulard du **MANIAQUE !** s'écrie Charlie.

— Oui, répond Maggie d'une **VOIX BLANCHE**.

Charlie fourre l'écharpe dans sa poche.

— Ça veut dire qu'il n'est pas loin.

— Peut-être même qu'il nous espionne en ce moment, répond Maggie, avant de porter ses mains à sa bouche.

Les deux jeunes échangent un long regard.

Quatre secondes passent.

— **Coupez !** crie Jimmy.

Les comédiens se tapent dans la main. Ils vont ensuite rejoindre le père de Charlie pour visionner les images qu'il a prises. Occupés qu'ils sont à analyser, sur le petit écran de sa caméra, la scène qu'ils viennent de tourner, ils ne voient pas le chapeau noir qui dépasse d'un buisson.

Ils ne sentent pas la présence d'un être qui les observe avec une **JOIE MALIGNE**. Parce qu'ils commentent la scène à voix haute, les trois artistes n'entendent pas les pas qui se rapprochent furtivement. Et soudain…

— **BOUH!**

Charlie, Maggie et Jimmy tressautent. Puis, la jeune fille explose.

— **LOUIS? ENCORE!** Là, tu vas le regretter. C'est moi qui te le dis!

La jeune fille se lance aux trousses de son frère, habillé et maquillé en maniaque, qui venait leur demander si on avait besoin de lui pour la prochaine scène. Évidemment, il n'a pas pu résister à l'envie de leur jouer un nouveau tour.

— **JE M'EXCUSE, MAGGIE!** Je ne recommencerai plus! **AU SECOUUUUUURS!** hurle le garçon en boitillant vers le chalet.

Edmoutt épie la scène, caché derrière un grand chêne. À cause de Louis, il a failli être **découvert**. Ça lui a donné une petite montée d'adrénaline. Il aime bien le frère de la jeune fille au teint de rose. Il incarne un maniaque espiègle. « Je vais faire comme lui, pense-t-il en retournant à sa cachette. Je vais m'amuser avec mes comédiens.

Ce n'est pas parce qu'on tourne un film **D'HORREUR** qu'on ne peut pas rigoler un peu!»

SCÈNE

7

UN MAUVAIS PRESSENTIMENT

En soirée, à la cuisine, Charlie et ses amis visionnent les images qu'ils ont filmées dans l'après-midi sur l'écran de l'ordinateur portable de Jimmy.

— **Ha ! Ha ! Ha !** fait Charlie. Elle est bonne ! Mon père a filmé votre poursuite jusqu'au chalet !

Rancunière, Maggie fait de **GROS YEUX** à son frère.

— Ouais, compte-toi chanceux. J'ai eu pitié de toi parce que t'es blessé. C'est pour ça que je t'ai laissé entrer dans le chalet sans te toucher. Autrement, **TU Y AURAIS GOÛTÉ!**

Louis pouffe, moqueur.

— Moi, je pense que t'étais juste **PAS CAPABLE** de m'attraper, malgré ma blessure!

Maggie grogne. Ils vont recommencer à se quereller, quand Charlie les interrompt :

— **REGARDEZ**, à la droite de l'écran! Au moment où vous passez près du chalet, il y a du mouvement entre les arbres. **ON DIRAIT LA SILHOUETTE D'UN HOMME.**

Le frère et la sœur reportent leur attention sur l'écran. Pour mieux leur montrer le sujet **non identifié**, Charlie fait avancer les images au ralenti.

— **BEN OUI**, dit Louis, surpris. On dirait qu'il y a quelqu'un qui se sauve pour éviter d'être filmé.

— Oui, ajoute Maggie en **FRIS- SONNANT**. Ça arrive, parfois. L'image d'un **FANTÔME** s'in- cruste dans la trame d'un film, d'une photo. J'en ai vu des exemples, sur le Web. C'est vraiment **ÉTRANGE** que ça nous arrive à nous, alors qu'on est en train de tourner un **FILM D'HORREUR**. D'après moi, ça prouve non seulement que les esprits existent, mais qu'il y en a un qui nous tourne autour. Ou qui te suit, toi, Louis…

Cette fois, le blagueur ne trouve rien à répliquer.

— Arrêtez de raconter des histoires aussi **ÉPEURANTES**, dit Jimmy en rigolant et en se versant un verre de vin ; sinon, je vais commencer à penser que notre chalet est **HANTÉ !**

Charlie se tourne vers lui.

— C'est pas des histoires ! **Regarde par toi-même !**

Le garçon fait à nouveau défiler les images. Le père les observe attentivement.

— C'est vrai, conclut-il, on dirait que quelqu'un se cache derrière les arbres pour éviter l'objectif. Mais, selon toute logique, c'est impossible, puisqu'on est seuls ici. Non, on doit avoir affaire à une **illusion d'optique** créée par le vent, la lumière et l'ombre dans les feuilles et les branches.

— **OUAIS**, répond Maggie, sceptique. C'est juste qu'il ne ventait **PAS**, cet après-midi.

Jimmy hausse les épaules, tandis que Charlie et Louis échangent un regard inquiet.

Soudain, un bruit de grincement retentit, comme le son d'une porte qui s'ouvre doucement, suivi d'un **RIRE DÉMENT**.

OUINNNNNNNNNNNNN !
MOUAHAHAHAAAAA !

Louis, terrifié, se lève d'un mouvement brusque. La chaise qu'il occupait se renverse. **BANG !** Ce choc a pour effet de faire crier Charlie, qui tourne la tête du côté de la porte du chalet, tout en enfonçant ses ongles dans le bras de Maggie. La jeune fille hurle alors autant de douleur que d'effroi, les cheveux **DRESSÉS** sur la tête.

C'est à ce moment que Stéphanie entre dans la cuisine. Elle a sa tablette électronique à la main.

— Désolée de vous avoir fait peur! J'étais en train de mettre la dernière touche à notre bande sonore.

Autour de la table, on pousse un soupir de soulagement. Jimmy sourit, amusé.

— Je regrette de ne pas vous avoir filmés, cette fois. Vous étiez **vraiment dedans**, comme on dit!

Les trois jeunes rient jaune.

— En tout cas, notre film va donner la **FROUSSE** aux spectateurs, répond Stéphanie, contente du travail que l'équipe a réalisé. Imaginez quand on va y ajouter des sons. Vous venez d'entendre le « grincement de porte numéro trois » et le « rire du fou furieux ». Mais j'ai aussi enregistré des « pas nocturnes dans le gravier », des « ongles qui crissent sur la vitre », « l'escalier qui craque »…

Tandis qu'elle parle, Stéphanie ouvre les fichiers, qui font entendre des effets sonores à donner froid dans le dos.

— J'ai même créé une pièce pour le générique en mélangeant des notes d'accordéon à des sons de gouttes d'eau qui tombent dans l'évier ; j'ai aussi ajouté le bruit produit par une carotte que je frotte contre la râpe et... celui d'une scie mécanique. Qu'est-ce que vous en dites ?

***

— Moi, murmure Edmoutt Sangris de l'autre côté de la fenêtre, **je l'adore, cette musique !**

***

Dans la cuisine, les garçons commentent le travail de Stéphanie. Maggie, silencieuse, jette des regards inquiets du côté de la fenêtre.

— Qu'est-ce qui se passe? demande Jimmy. Est-ce qu'il y a quelque chose qui ne va pas, Maggie?

— Bien, j'ai l'intuition que quelqu'un nous **espionne**, de l'autre côté de la fenêtre. Quelqu'un de **MALINTENTIONNÉ**.

— Comme le monstre qui se cache tous les soirs sous ton lit? demande Louis, moqueur.

— **ARRÊTE!** lui crie sa sœur, fâchée.

Pour la rassurer, Jimmy vient près de la fenêtre. Il actionne la fonction lampe de poche de son cellulaire et éclaire l'extérieur du chalet.

— Tu vois, il n'y a **PERSONNE** dehors. Tu es en sécurité, ici. Il n'y a aucun prédateur dans les alentours. Les seules créatures qui pourraient nous dévorer sont les gigantesques maringouins du bord de la rivière.

***

Aplati sur le sol, tout contre le mur du chalet, le Cinéaste rit nerveusement. Il vient de l'échapper belle, une fois de plus. Il est **trop excité** à l'idée de réaliser ce nouveau projet. Ça le rend imprudent.

Du mouvement, dans le chalet, lui indique que la petite famille d'artistes s'apprête à sortir, probablement pour faire un feu. «Parfait, se dit-il. Quand ils seront occupés, je pourrai entrer et voir à mes derniers préparatifs avant le tournage. »

***

Assis sur une grosse bûche, au bord du cercle de pierres servant à faire des feux de camp, les jeunes discutent. Maggie est incapable de se défaire de son impression d'être épiée par un **ÊTRE MALVEILLANT**.

— C'est ton imagination qui te joue des tours, lui explique Stéphanie, qui les rejoint avec des saucisses et un sac de guimauves. Je ne sais pas pourquoi, mais c'est souvent comme ça, le soir.

— Tout à fait d'accord, ajoute Jimmy. Tiens, regarde la lune. Elle a un beau sourire, **HEIN ?** Quand j'étais jeune et que j'avais peur la nuit, je cherchais toujours à voir la lune à travers la fenêtre de ma chambre. Je trouvais qu'elle avait un air bienveillant. Je me disais qu'elle était au ciel pour veiller sur les dormeurs. Elle perce les ténèbres, après tout. À force de fixer sa lueur, son sourire, je finissais toujours par m'endormir, rassuré. C'est encore comme ça aujourd'hui. Observer la lune, ça me calme.

— **MOUAIS**, dit Louis, à moitié convaincu. Ce qui me chicote, c'est que, dans les histoires, les loups-garous se transforment durant la pleine lune… Elle n'a donc **PAS** un effet calmant sur tout le monde…

Caché derrière le hangar, le Cinéaste sourit à cette remarque. Il lève ensuite les yeux au ciel. La lune est pleine, ce qui le réjouit. S'il ne se retenait pas, il se mettrait à **HURLER**. Telle une bête sauvage, il renifle l'air. L'odeur des saucisses qui grillent sur le feu lui fait monter un goût de viande crue à la bouche. « Plus tard, Ed. Tu mangeras quand tu auras fini ton travail. J'espère qu'ils me garderont des guimauves… »

Et, sur la pointe des pieds, le Cinéaste entre dans le chalet, pour pénétrer un peu plus intimement dans l'univers de ses comédiens.

SCÈNE

8

APPARITIONS INQUIÉTANTES

— Bonjour! Vous avez bien dormi?

Stéphanie étale une nappe sur la table. Jimmy y pose une pile de bols et d'assiettes, ainsi que des ustensiles. Charlie bâille longuement en s'étirant.

— **OAAAHHH...** ça m'a pris du temps à m'endormir, à cause de l'ombre apparue dans notre film. Je n'arrêtais pas d'y penser.

Maggie se laisse tomber sur une chaise. Elle a les cheveux en bataille et les yeux cernés.

— Moi, j'ai eu beau regarder la lune et respirer et tout, j'ai eu de la misère à trouver le sommeil. J'arrêtais pas de penser au **MANIAQUE** qui s'est évadé de prison... Tellement que j'ai rêvé qu'il me regardait dormir, qu'il me filmait. J'en ai encore des frissons. De bonne heure, ce matin, j'ai aussi entendu la porte du salon qui **GRINÇAIT**, comme si quelqu'un était sorti du chalet.

Louis est le dernier à descendre du dortoir.

— C'est bizarre que tu dises ça, confie-t-il à sa sœur, parce que moi aussi, j'ai fait de drôles de rêves. Ça me chatouillait dans le visage. Je sais pas si c'est un papillon de nuit qui volait près de ma tête. J'osais pas me gratter. J'avais peur de l'écraser. Ça m'a donné mal au cœur.

— Ben, t'avais quelque chose dans la face, c'est sûr. T'es tout barbouillé, fait remarquer sa sœur, dégoûtée.

— **HEIN ?!?!**

Louis s'étire pour se mirer dans le métal poli du grille-pain.

Il a le pourtour de la bouche et les joues maculés de brun.

— Dis-moi, Louis, demande Stéphanie, tu serais pas **somnambule**, par hasard ?

— NON... **POURQUOi ?**

— Bien, parce que le Chocotartine et le pain ont disparu du garde-manger, et qu'on dirait bien que tes joues sont tachées de chocolat.

Louis jette un regard confus à ses amis.

— Je comprends pas… Ça m'était encore **JAMAiS** arrivé. Mes parents disent toujours que je dors comme une roche, la nuit.

— C'est pas grave, Louis. Si tu avais faim, tu as bien fait de manger.

Mais peux-tu nous dire où tu as rangé le pain et le pot de tartinade?

— Non…

— Bon, eh bien, comme on n'a plus de pain, dit Stéphanie, on va déjeuner avec les restes de pizza.

Cette annonce réjouit Charlie et Maggie. Mais Louis est troublé par la nuit qu'il vient de passer.

— C'est **SUPER DANGEREUX**, être somnambule! Vous vous imaginez ce qui pourrait m'arriver? Je pourrais sortir du chalet, me rendre à la rivière, plonger dans l'eau et me **NOYER!**

À l'idée de périr dans les eaux noires et glacées, Louis s'affole. Il a une peur panique de l'eau.

— T'en fais pas, le rassure Jimmy. On va veiller sur toi cette nuit. Et on va fermer les portes du chalet à double tour. **Allez !** Mange, mon gars ! Tu vas avoir besoin d'énergie aujourd'hui !

« Il ne croit pas si bien dire », pense le Cinéaste en ricanant ; il a posé des microphones dans la maison durant la nuit, et il entend la conversation des vacanciers, comme s'il était à table avec eux.

Satisfait de la mise en place des derniers éléments de son scénario, le maniaque **DÉCHIRE** à belles dents une tranche de pain beurrée de Chocotartine. Il songe à Maggie. La regarder dormir tout en lui murmurant des histoires de peur à l'oreille l'a diverti. Par contre, il est un peu déçu de ne pas avoir réussi à déranger le sommeil de Charlie. Il dormait trop profondément. En revanche, il lui a laissé une petite surprise. Il la découvrira au cours de l'avant-midi, c'est certain.

À cette idée, Sangris **éclate de rire** et se mord l'intérieur de la bouche. De colère et de douleur, il jette la tranche de pain sur le sol. «**OUCH ! MAUDITE TARTINE !**» Pour se changer les idées, il songe à

Louis, qui a l'air d'un ange quand il dort. Lui chatouiller les joues et lui étendre du chocolat sur le visage, ça l'a amusé au plus haut point. «Je les ai ébranlés. Lui, surtout. **OH!** Je sens que je vais passer une journée et, surtout, une nuit merveilleuses à leur faire perdre la tête!»

Rasséréné en pensant à l'œuvre qu'il souhaite réaliser, Sangris reprend la tartine et la porte à sa bouche. Le goût du chocolat et des noisettes, mêlé à celui de la terre et **DU SANG**, ne lui déplaît pas du tout.

***

Pendant qu'au chalet Stéphanie travaille au générique de leur œuvre,

Charlie, Jimmy et Maggie se préparent à tourner une scène au cours de laquelle les jeunes doivent faire comme s'ils épiaient le maniaque.

— As-tu les jumelles, Maggie?

— **ZUT !** Je les ai laissées dans le hangar tantôt.

— Va les chercher, et profites-en pour voir si Louis a terminé d'enfiler son costume.

La jeune fille quitte le lieu de tournage, sur le bord de la rivière, pour revenir vers le chalet et le hangar. Elle entre dans le bâtiment servant d'atelier, où sont entreposés toutes sortes de matériaux, d'outils et d'accessoires. Elle se rend jusqu'à la table, sur laquelle sont posés un miroir et une trousse à maquillage. Elle y prend les jumelles. Elle va sortir quand, par la fenêtre, elle voit passer Louis, déguisé en maniaque.

Souhaitant espionner son coquin de frère, Maggie sort sans faire de bruit et commence à le suivre. « C'est **BIZARRE**, pense-t-elle. De dos, il semble un peu plus grand, plus costaud. »

Louis avance à grands pas dans le sentier. Maggie, qui veut éviter d'être vue, le suit en **catimini**, tout en prenant soin de se dissimuler derrière les arbres. Le garçon quitte tout à coup le chemin pour s'élancer dans les fougères et les hautes herbes. « **Ben voyons donc !** Qu'est-ce qu'il va faire là ? C'est complètement à l'opposé du plateau de tournage ! **C'EST IMPRUDENT !** Il pourrait se perdre ! »

Soudain, des craquements et des bruits d'herbe froissée font s'immobiliser la jeune fille. Une onde électrique parcourt sa colonne vertébrale. Quelqu'un est derrière elle. On la suit. Elle se retourne.

— **COUCOU !**

— **OUAAAAH ! LOUIS !?!?** Tu veux me rendre folle, ou quoi ?

— **QUOI ?** Tu l'étais pas déjà ?

Fâchée d'avoir été surprise par son frère et insultée qu'il se moque d'elle en plus, Maggie saisit son bras.

— **OUCHHHHH!** Tes ongles! se plaint Louis. Je m'excuse! Lâche-moi… s'il te plaît!

Maggie lâche brusquement son frère.

— Dis-moi comment tu as fait pour marcher devant moi, entrer dans le bois, et subitement te retrouver derrière moi pour me faire sursauter. En passant, tu as failli me faire faire **UNE CRISE CARDIAQUE!**

Louis fronce les sourcils, confus. Visiblement, il ne comprend rien aux propos de sa sœur.

— Ben non, je pouvais pas marcher devant toi, puisque je t'ai vue sortir du hangar avec les jumelles. Je t'ai suivie de loin avec l'idée de te faire une petite peur, mais c'est tout…

— **ARRÊTE DE MENTIR !** Je t'ai bien vu entrer là, dans le bois, et la seconde d'après, t'étais derrière moi !

— **JE TE DIS QUE NON !** Je pouvais pas être devant, puisque que j'étais **DERRIÈRE** toi !

Le frère et la sœur haussent le ton, s'obstinent. Leur querelle est interrompue par l'arrivée de Charlie et de Jimmy, qui a sa caméra à la main.

— Qu'est-ce que vous faites ? On vous attend !

Maggie et Louis se mettent à parler en même temps, chacun donnant sa version des faits.

— **WHOOOO**, c'est assez confus, votre affaire, dit Charlie. Je comprends pas ce que vous racontez...

Maggie coupe court à la discussion en entraînant ses interlocuteurs en dehors du sentier.

— Vous voyez bien, là ! Quelqu'un a piétiné les fougères.

Effectivement, on a marché à cet endroit.

La jeune fille, en tête, avance en suivant la piste formée dans la verdure écrasée. Louis, pour sa part, répète à ses compagnons qu'il n'est jamais passé par là.

— Juré craché, croix de bois, croix de fer, si je mens, je vais en **ENFER**.

Tout à coup, Maggie pousse un cri.

— Le pain ! Le Chocotartine !

Sous un arbre, sur une pierre plate, gisent les provisions disparues au cours de la nuit.

Tout le monde se tourne vers Louis, qui blêmit, rougit, puis se met à transpirer, consterné.

— Je comprends pas. En tout cas, c'est pas moi qui suis venu ici tantôt. Je savais même pas que le pain et la tartinade étaient là !

Charlie lui met une main sur l'épaule.

— T'es peut-être **somnambule** pour vrai, tu sais…

Le garçon, alarmé, dit d'une toute petite voix :

— J'ai aucun souvenir d'être venu ici dans la nuit. Puis, si j'avais marché dans le bois, j'aurais sali mon pyjama, mes pantoufles. Quand je me suis réveillé, j'étais propre.

— T'oublies ta bouche et tes joues, répond sa sœur, soupçonneuse.

— Bon, bon, bon, on va pas se chicaner pour du pain et du chocolat, dit Jimmy pour les apaiser. On a plein d'autres affaires à manger au chalet. On devrait s'en sortir d'ici demain. D'ailleurs, je commence à avoir un petit creux. Pas vous ?

Pour toute réponse, le ventre de Charlie se met à **GARGOUILLER**.

— Venez ! On va manger ! s'exclame Jimmy, amusé. On va poursuivre notre film cet après-midi.

Jimmy prend la tête de la file. Derrière lui, Charlie tape amicalement l'épaule de son ami pour le réconforter. Louis ne va pas très bien. Toute cette histoire de poursuite, de pain disparu et de **somnambulisme** lui a coupé l'appétit. Quant à Maggie, elle ferme la marche en scrutant les lieux, à la recherche de nouveaux indices pouvant incriminer son frère. Pour elle, cet épisode est loin d'être terminé. À partir de maintenant, elle va suivre Louis de très près. « Peut-être, songe-t-elle, qu'il est **POSSÉDÉ** par l'ombre qu'on a aperçue sur les images hier. C'est un esprit qui doit entrer et sortir de lui comme il le veut. Et en ce moment, il plane peut-être sur nous. » En effet, la jeune fille ressent plus que jamais cette présence malveillante, la même qui est venue la visiter durant la nuit.

Tout à coup, elle se surprend à avoir envie de quitter le chalet au plus vite. Non, elle ne se plaît plus du tout ici.

***

Sangris observe ses «comédiens» en souriant. Ils sont passés à une lame de rasoir de le **SURPRENDRE**. Le maniaque se lève et fait quelques pas pour se dégourdir les jambes. Il ajuste ensuite son matériel pour entendre et enregistrer ce qui se passera dans la maison dans quelques minutes.

SCÈNE

9

DOCTEUR EDMOUTT ET MISTER SANGRIS

— Déjà ? demande Stéphanie en voyant arriver la bande au hangar.

— Ouais, on avait trop faim, dit Jimmy en lui faisant un signe discret lui indiquant qu'il y a eu un pépin.

— Bon, répond l'artiste, je finis de peindre mon masque et je vous rejoins.

— **WOW !** s'exclame Jimmy en s'approchant de la table pour voir de plus près le travail de Stéphanie. On dirait de vrais visages.

— Merci. Je suis assez fière du résultat. Je pense qu'après le tournage, je vais les récupérer pour mon exposition.

Les trois jeunes sont également impressionnés par les masques de latex, qu'on croirait faits de peau véritable. Il y en a cinq. Un pour chaque personnage du film.

— On va les porter pour la dernière scène, explique l'artiste, celle où l'on voit les personnages étendus, **MORTS**, dans le hangar.

— C'est lequel, le mien ? demande Maggie.

— Celui-ci.

Stéphanie lui tend un masque. Maggie le prend, le tâte.

— Il est tout **boursouflé**...

— Bien sûr. Parce que le personnage meurt en fonçant dans un **nid de guêpes**.

— Ça fait tellement mal de se faire piquer par une guêpe... J'ose même pas imaginer la brûlure qu'on doit ressentir quand on se fait attaquer par un essaim au complet. Quelle fin **ATROCE !**

Maggie frissonne en remettant le masque sur la table.

— Et le mien ? demande Louis. C'est celui-là ?

Il prend un masque aux lèvres foncées, presque violettes, et à la peau gonflée, d'un gris bleuté.

— Exactement, le personnage meurt **NOYÉ** dans la rivière, en tentant de se sauver à la nage durant la nuit…

Louis écoute Stéphanie en avalant difficilement sa salive. Pour lui, perdre la vie dans des eaux sombres et glacées, c'est la fin la plus **ABOMINABLE** qui soit.

À son tour, Charlie met la main sur un masque.

— Je gage que celui-ci, c'est le mien.

Les yeux sont écarquillés, la bouche grande ouverte.

— **HAN, HAN.**

— Car le personnage, qui a peur du noir, dit Charlie, est foudroyé par une **CRISE CARDIAQUE** quand il se retrouve face au maniaque, dans la nuit.

Le garçon examine l'objet tout en pensant à sa propre crainte de l'obscurité. « Tout est **TELLEMENT ÉPEURANT**, dans le noir, quand on est seul. »

— En tout cas, dit Jimmy, notre film sera sûrement aussi bon que celui de Globill.

— Je l'espère, répond Stéphanie en nettoyant un pinceau. **Allez ! Tous au chalet !** Jimmy et moi, on va préparer le dîner ! Pendant ce temps, si ça vous tente, vous pourriez sortir le jeu de Puissance 4, hein, Charlie ?

— Bonne idée !

Les jeunes sortent du hangar et courent jusqu'au chalet. Ils montent au dortoir en placotant et en rigolant. Ils ont oublié l'épisode troublant du matin.

— Le jeu est dans ma valise, dit Charlie. J'ai pensé à l'y mettre avant de partir. Je savais qu'on aurait sûrement l'occasion d'y jouer. Je vais pouvoir prendre ma revanche sur toi, Maggie… **AHHHHHHHHHH !**

En ouvrant sa valise, le garçon libère une multitude **d'araignées noires**, qui sortent et s'élancent partout dans le dortoir. Plusieurs d'entre elles se mettent à grimper sur Charlie, qui fait tout pour s'en débarrasser. Pendant ce temps, Maggie leur court après pour les piétiner, tandis que Louis, sur le point de perdre la tête, tourne sur lui-même en **HURLANT D'HORREUR.** Il a une peur maladive des araignées.

Les jeunes font un tel raffut à l'étage que Jimmy et Stéphanie montent pour voir ce qui se passe.

—**DES ARAIGNÉES!** On est envahis! crie Charlie en tentant de se débarrasser des arachnides qui lui courent sur le corps, sur le visage et dans les cheveux.

Tandis que Jimmy s'occupe de débarrasser Charlie des intruses, Stéphanie tente de réconforter Maggie, qui s'écrie:

—Je veux qu'on s'en aille **TOUT DE SUITE!** Je ne veux plus être ici!

Derrière eux, Louis a des haut-le-cœur.

— **OUAH ! BEURK !** C'est dégueu !
Il y a des bibittes effoirées partout !
EURK ! BURP !

Stéphanie échange un regard avec Jimmy. Décidément, leur fin de semaine ne se déroule pas tout à fait comme prévu.

— Bon, voici ce qu'on va faire, dit la mère de Charlie. Vous allez dehors et nous, on nettoie le dortoir.

Tout en parlant, elle fait descendre les jeunes à la cuisine. Maggie va sortir quand, tout à coup, elle se retourne et s'exclame :

— C'est impossible de faire disparaître **toutes** ces araignées ! Elles se sont sûrement répandues dans tout le chalet !

Charlie, ébranlé, ne sait pas quoi dire pour calmer son amie. Quant à Louis, il lâche, entre deux nausées :

— Ben, je ne veux pas te contredire, mais il doit y avoir plus de bibittes à l'extérieur qu'à l'intérieur. Sans compter les serpents, les ours, les loups…

— Peux-tu la fermer une minute, toi ? lui crie sa sœur. Depuis qu'on est arrivés, tu n'arrêtes pas de faire exprès de nous **EFFRAYER** !

Surpris de voir sa sœur dans cet état, Louis recule. Maggie, toutefois, n'en a pas fini avec lui.

— En plus, t'es un **MENTEUR !**
Avoue que c'est toi que je suivais cet
après-midi ! Le pain, la tartinade, tes
joues... Arrête de nier et dis-nous
la vérité. Tu préparais un mauvais
coup, c'est sûr !

Louis regarde Charlie, puis sa sœur,
en cherchant en vain comment se
défendre. Il est déconcerté, il ne
trouve pas les mots.

Soudain, Maggie croit tout com-
prendre.

— **HEILLE !** T'es allé dans le bois
pour trouver des araignées. C'est
toi qui les as mises dans la valise de
Charlie ! **DiS-LE ! ENVOYE !**
Tu voulais nous faire vivre, pour

vrai, la scène des araignées du film de Globill !

— Ben non…, bafouille Louis, complètement effondré. Tu sais combien j'ai **PEUR** de ces bestioles !

— Arrête de jouer les innocents ! riposte encore Maggie sur un ton accusateur. Parce que là, moi, je commence à penser que t'es soit un vrai menteur gâcheur de vacances, soit un **somnambule** sur le point de se transformer en **MANIAQUE**. Comme dans l'histoire du docteur Jekyll et de Mister Hyde !

— **FERME-LA !** réplique Louis, qui sent la colère l'envahir. Laisse-moi tranquille !

Le garçon tourne les talons en direction du hangar. Charlie veut le rejoindre pour discuter avec lui, mais Louis le repousse. Il veut avoir la paix.

Le Cinéaste assiste à la scène en épiant les jeunes sur l'écran de ses moniteurs. Dommage qu'il n'ait pas été en mesure de poser des micros dans les plates-bandes. Il aurait tant voulu entendre ses «comédiens». Mais leur agitation lui confirme que son petit tour avec le **nid d'araignées** qu'il a trouvé dans un coin encombré de la cabane, au bord de la rivière, et qui les a fait hurler et même vomir, a semé la **ZIZANIE** dans le groupe.

Il se repasse la bande où Charlie ouvre sa valise. Il l'écoute avec délice. « Entendre des cris de peur, ça fait **tellement plaisir !** »

SCÈNE

10

DE L'AUTRE CÔTÉ DU MIROIR

Louis a passé l'après-midi dans un coin du hangar, couché sur un vieux sofa. À un moment donné, Stéphanie est venue le voir pour lui demander s'il avait faim, mais le garçon a refusé le plateau qu'elle lui tendait. Il voulait simplement être seul pour se remettre de ses émotions.

Dans la pénombre, Louis, épuisé à force de retourner dans sa tête les **événements troublants** qu'il a vécus depuis le réveil, finit par sombrer dans un sommeil agité, peuplé d'araignées géantes, d'esprits vengeurs, de zombies avec du chocolat sur les joues et de criminels **FOUS FURIEUX** évadés de prison.

C'est un craquement, dans l'atelier, qui le réveille. Louis s'assoit d'un coup sur le canapé. Il est en sueur. Il jette un regard à la fenêtre. La lumière décline, ce qui lui laisse supposer que c'est l'heure du souper.

— Y a quelqu'un ?

Pas de réponse.

Louis se lève, remet son chapeau.

— Si c'est toi, Maggie, qui veux me jouer un tour, je suis pas d'humeur…

Louis traverse l'atelier en se glissant entre des éléments de décor : l'immense gueule d'un requin en carton, un vaisseau spatial recouvert de papier d'aluminium, une machine à voyager dans le temps en styromousse, des marionnettes représentant des extraterrestres avec la peau luisante vert fluo et un œil au milieu du front…

« **OUAIS,** songe-t-il en tapotant la tête en éponge de l'une de ces poupées, il faudrait bien que je rejoigne les autres au chalet. »

En effet, Louis commence à avoir sérieusement faim et soif. Tellement qu'il en éprouve un léger mal de tête. Mais il a un peu honte d'avoir boudé, seul dans son coin, pendant si longtemps, retardant ainsi le tournage de leur film. Et il ne comprend toujours pas ce qui lui est arrivé, ce qui l'inquiète. Par ailleurs, il ne pardonne pas à sa sœur de l'avoir **faussement accusé**. Mais si elle avait dit la vérité? Peut-être que la tartinade, le pain et les araignées, c'était lui, après tout. S'il faisait des choses sans s'en rendre compte? S'il était somnambule la nuit, et le jour aussi? Il ne sait plus où il en est, et cette incertitude le rend mal à l'aise.

CRAAAAC !

Il n'est pas seul dans le hangar. Et si un **MONSTRE** était sorti de son cauchemar et se terrait dans un coin sombre, n'attendant que le bon moment pour le dévorer? Le garçon hâte le pas, apeuré, en direction de la sortie. «Calme-toi. C'est juste ton imagination.»

En passant dans une zone de l'atelier plongée dans l'ombre, Louis se retrouve devant un **grand miroir** sur pied. Il sursaute en y apercevant son reflet. «C'est étrange, se dit le garçon. On n'avait pas retiré la glace du cadre de ce miroir pour le tournage d'un film? En plus, il me semble que j'ai l'air plus grand et plus costaud…»

Curieux, le garçon s'approche. Il tend le cou, fait un pas vers son reflet et plonge son regard dans le sien. Puis, le garçon porte sa main à son visage. «Le maquillage de Stéphanie est vraiment réussi. Je ne pensais pas que j'avais l'air aussi vieux et **AUSSI VILAIN**.»

Louis recule, avance à nouveau, de plus en plus près de son image. Son double bouge avec un certain décalage, ce que le garçon trouve très étrange. Et tout à coup, il réalise avec terreur que son reflet respire! Il sent son haleine, chaude et **FÉTIDE**, sur son visage.

— **OUARRRRRRRRH!**

Louis veut se sauver à toutes jambes, sonner l'alarme, échapper au maniaque qui se trouve de l'autre côté du miroir. Mais ses pieds restent cloués au sol. Il est statufié par la frayeur. Le Cinéaste profite de l'immobilité de sa proie pour la saisir à bras le corps. Et, avant que le jeune ait le temps de faire le moindre geste, le criminel sort de sa poche une **seringue** pleine de sédatif, qu'il a volée à l'infirmerie de la prison. Il enfonce l'aiguille dans le cou de sa victime.

Tout se met alors à tourner autour de Louis : le décor, la lumière. Et soudain, tout devient noir.

Le cinéaste jette le garçon endormi sur son épaule.

Dans l'entrée du hangar, le masque aux lèvres bleutées dans sa main libre, Edmoutt Sangris regarde d'un côté et de l'autre, pour s'assurer que personne ne se trouve dans les environs. Les lieux étant déserts, il prend le chemin du bois avec son otage.

— Et de un…

SCÈNE

11

OÙ EST LOUIS ?

Jimmy, Charlie et Maggie rentrent au chalet après avoir tourné dans le bois, près de la rivière. Comme Louis voulait se reposer, ils ont filmé des scènes qui ne nécessitaient pas la présence de son personnage. Quant à Stéphanie, elle est restée au quartier général pour continuer son travail de montage et pour être là au cas où Louis aurait besoin d'elle.

— Qu'est-ce qu'on mange ? demande Charlie en ouvrant la porte à la volée.

— **Des hamburgers**, répond Stéphanie, qui sait que ce plat est le préféré de Louis.

S'affairant autour de la cuisinière, elle ajoute :

— Quelqu'un veut aller chercher Louis ? Il doit être affamé ; il n'a rien mangé depuis ce matin.

— J'y vais, répond Charlie.

Le garçon sort, tandis que Maggie commence à mettre les couverts sur la table, soulevant le coin des napperons et bougeant délicatement la vaisselle, au cas où des araignées s'y cacheraient.

— Franchement, dit Jimmy, j'pense pas que tu vas te faire **ATTAQUER** ! Il n'y a plus d'araignées ici, c'est certain. S'il en reste, elles doivent tout faire pour rester cachées !

— J'aime autant pas prendre de risque, répond la jeune fille avec une moue dédaigneuse. Les araignées, **ÇA M'ÉCŒURE** !

La porte de la cuisine s'ouvre sur Charlie, qui annonce :

— Louis est pas dans le hangar.

Stéphanie pose une boulette de viande dans une poêle.

— Ben là, il faudrait qu'il sorte de sa cachette, parce que c'est l'heure de souper. Est-ce que le wifi fonctionne? Envoyez-lui donc un texto!

**

Charlie

> Yo! T'es où? On t'attend pour le souper! 🕐

Maggie

> C'est ça! Arrête de bouder parce que nous autres, on a faim! ☹️

**

— Pis? demande Jimmy au bout d'une dizaine de minutes.

— **Rien,** répond Charlie. Soit Louis veut pas nous répondre, soit il peut pas le faire. La pile de son iPod est peut-être morte. Peut-être même qu'il a perdu son appareil.

Maggie replace une mèche rebelle.

— **BAH...** mon frère a déjà passé quatre heures caché dans ma garde-robe pour avoir le plaisir de me faire peur. Il doit être en train de préparer un nouveau coup du même genre. Ce qui fait que, moi, je l'attendrais pas et je commencerais à manger avant que ça refroidisse.

Stéphanie et Jimmy échangent un regard discret. La situation commence à les inquiéter.

Charlie

On mange des hamburgers...
Je dis ça comme ça...

Maggie

Oui, et je m'apprête à manger le tien. 😈

***

Pendant ce temps, sur le bord de la rivière...

— **OH, OH!** Tu reçois des textos, dit Edmoutt en chantonnant avec un **SOURiRE SADIQUE**. Tes amis s'inquiètent. Je vais leur répondre, puisque toi, t'as les mains liées.

— Lâchez mes affaires et détachez-moi, réplique Louis, qui vient de se réveiller et qui a la gorge affreusement sèche.

Le garçon est nauséeux. Il a la tête qui tourne. Ses chevilles et ses poignets sont douloureux.

***

Louis

Je n'ai pas faim.

Charlie

Louis, mes parents disent que tu dois venir au chalet tout de suite.

***

Edmoutt Sangris range le iPod dans la poche de son pantalon. Il prend ensuite son cellulaire et le met en mode caméra.

— Maintenant qu'on est seuls, jeune homme, je vais t'expliquer quelque chose. Je compte faire de toi le **héros d'un film**. Malheureusement, ça se terminera pas très bien pour toi. Mais ça, c'est pas de ma faute, c'est à cause du scénario de Globill.

Cette fois, Louis est tout à fait réveillé. Il a reconnu Sangris.

— Je vais te filmer en train de lutter contre l'eau et les insectes.

Louis tente un mouvement pour se déprendre. Il constate alors avec désespoir qu'il est ligoté serré.

Du doigt, le maniaque pointe une chaloupe renversée sur la berge boueuse. Il l'a soulevée à moitié et a retiré la bâche qui la recouvrait en prévision de son tournage.

— **VAS-Y**, ordonne-t-il.

— **NOOON !**

Louis ne veut pas se retrouver sous la chaloupe, sur la terre mouillée !

— Louis, j'ai dit…

Sangris, contrarié, serre les mâchoires en se dirigeant vers le garçon. D'une seule main, il soulève sa **VICTIME** et l'oblige à se rendre jusqu'à la chaloupe en sautillant.

— **LÂCHEZ-MOi !** Vous me faites mal !

Malgré sa petite taille, l'homme possède une force inouïe.

— **OUCH ! VOUS ÊTES FOU !** Les parents de mon ami vont me retrouver et vous allez voir…

— **VEUX-TU TE TAIRE ? !** l'interrompt brutalement Sangris en l'obligeant à s'agenouiller. **COUCHE-TOI**, ajoute-t-il.

Réalisant qu'il n'a pas le choix, Louis fait ce que le Cinéaste lui demande.

Ce dernier braque l'objectif de son téléphone sur le visage du garçon avant de lui annoncer :

— Tu vas être bien, ici. L'eau qui vient clapoter sous la chaloupe va te rafraîchir… En attendant, je te laisse en compagnie des **sangsues**. Il y en a de belles par ici. Ah oui, et j'ai compté trois gros nids d'araignées sous l'embarcation !

Submergé par une peur extrême, Louis va se mettre à crier quand le **MANIAQUE**, après avoir déposé son téléphone sur une pierre, lui enfonce un bâillon dans la bouche. Il lui enfile ensuite le masque aux lèvres bleutées qu'il a pris sur la table avant de sortir du hangar. Puis, il pousse le garçon sous la chaloupe.

— Tiens. Je vais maintenant aller m'occuper de tes copains. **AH...** en passant, essaie de ne pas trop transpirer. Les araignées aiment l'humidité. Alors, si tu ne veux pas qu'elles entrent sous ton masque...

Le maniaque s'accroupit et prend quelques images de Louis, masqué, se secouant en tous sens pour essayer de se libérer. D'un coup sec, il laisse ensuite tomber la barque par-dessus le garçon et remet la bâche dessus.

Louis est alors plongé dans le noir. Mais il ne se rend compte de rien. **Il a perdu connaissance.**

SCÈNE 12

ALERTE!

— Où peut se trouver Louis, d'après toi? demande Jimmy à Maggie.

La jeune fille hausse les épaules. Elle a la mine basse.

— Je sais pas…

— Bouder longtemps comme ça, ça lui ressemble pas, dit Charlie. Je commence à penser qu'il lui est arrivé quelque chose de **GRAVE**.

Stéphanie rejoint le groupe devant le chalet.

— Aucune trace de lui autour du hangar.

— J'ai rien vu non plus dans le bois, répond Jimmy.

Quant à Charlie et à Maggie, ils sont allés jusqu'à la cabane, sur le bord de la rivière.

— Il était pas là. On n'est pas descendus jusqu'à la berge, parce que Louis irait **jamais** seul à cet endroit, explique sa sœur. Il a bien **TROP PEUR** de l'eau!

— Bon, dit Jimmy avec une mine inquiète. En plus, le soleil est sur le point de se coucher. Écrivez-lui donc. On sait jamais.

Charlie et Maggie s'empressent de sortir leur iPod.

— On n'a plus de signal, dit le garçon, grandement déçu.

Stéphanie lance un bref regard à Jimmy. Elle se dirige ensuite vers la porte d'entrée.

— On n'a plus le choix. Il va falloir appeler vos parents, Maggie.

La femme entre dans le chalet, laissant Charlie, son amie et Jimmy dehors. Ils s'assoient autour du cercle de pierres où l'on fait des feux.

— Est-ce que ça se pourrait, demande Maggie, la voix étranglée par l'émotion, que de **MAUVAIS ESPRITS** veuillent nous faire du mal parce que Louis a fait des blagues au sujet de la mort ?

— Mais non, répond Jimmy. Tu sais bien que les esprits n'existent pas. Ton frère doit être tout près. Il va arriver d'une minute à l'autre et…

Soudain, Stéphanie sort du chalet. Elle semble fortement contrariée.

— Je sais pas comment c'est arrivé, mais le fil du téléphone a été coupé, explique-t-elle. On ne peut donc plus communiquer avec l'extérieur…

— Comme dans le film de Globill !
s'écrie Maggie, qui se met à trembler
de tous ses membres.

Pour la rassurer, et parce qu'il ne
se sent pas très brave, tout à coup,
Charlie lui prend la main.

— **OK**, dit Jimmy en se levant.
Je vais aller au village pour télé-
phoner. Vous autres, vous allez rester ici au cas où Louis reviendrait.
Je devrais être de retour dans une
heure et demie.

En parlant, l'homme se dirige vers la
camionnette, tandis que Stéphanie
vient s'asseoir avec Charlie et
Maggie.

Tout à coup, l'homme pousse un cri de stupeur :

— BEN VOYONS DONC !
Les pneus sont crevés !

— Comme dans *Un maniaque au chalet*, souffle Charlie en frissonnant.

SCÈNE 13

UN MANIAQUE AU CHALET !

— Tout le monde à l'intérieur, dit Stéphanie en s'efforçant de conserver son calme.

— Je le savais que j'avais raison ! s'écrie Maggie. On est pris avec des morts fâchés !

— AH ! ÇA SUFFIT, LES ESPRITS !

dit Jimmy, autoritaire, pour ramener la jeune fille à la raison.

Toutefois, le regard qu'il lance à Stéphanie et le fait qu'il ferme la porte du chalet à double tour témoignent de son trouble, de son incompréhension de la situation.

Animé par un étrange pressentiment, Charlie demande à brûle-pourpoint :

— Pensez-vous que c'est le **MANIAQUE** qui s'est sauvé de prison qui a enlevé Louis ?

— Mais non, répond Stéphanie avec une expression de peur qui dément ses paroles. Le soleil est en train de se coucher. On va reprendre les recherches pour retrouver Louis demain matin. Pour le moment, on va bien fermer les portes et les fenêtres du chalet.

Pendant qu'elle parle, Stéphanie branche la bouilloire et sort un pot de café instantané.

— Ça donne rien de s'enfermer si on a affaire à des esprits, dit Maggie, au bord de la **CRISE DE NERFS**. Ils sont partout et ils peuvent passer à travers les murs !

— Ouais, bien moi, j'aimerais mieux combattre des fantômes qu'un maniaque **BIEN VIVANT**, répond Charlie en tirant le store de la fenêtre de la cuisine.

— **ARRÊTEZ** de vous conter des peurs, dit Jimmy, qui tente de trouver un sens aux derniers événements. On est en sécurité, ici.

— Jimmy a raison, renchérit Stéphanie. D'ailleurs, tout va bientôt rentrer dans l'ordre. Qu'est-ce que vous diriez d'aller mettre vos pyjamas? Après, on pourrait jouer une partie de **Scrabble**. Ça nous changerait les idées en attendant Louis.

Elle tend une tasse de café fumant à Jimmy.

— Tiens, il est fort. Ça va nous faire du bien.

Charlie et Maggie montent en silence, voulant bien croire que tout est sur le point de « rentrer dans l'ordre ».

— Et n'oubliez pas de fermer les fenêtres! ajoute Stéphanie.

Ce que s'empresse de faire Maggie, en proie à une vive inquiétude.

— La lune est encore très brillante, dit-elle à Charlie.

— Oui, fait le garçon. Ça éclaire le bois. C'est rassurant.

— Je trouve pas, moi… Et si Louis ne nous répondait pas parce qu'il s'est transformé en loup-garou ou en je ne sais quelle **HORRiBLE BIBITTE?**

Charlie soupire.

— Les monstres, c'est dans les **légendes**, Maggie. Dans la réalité, Louis s'est probablement perdu dans le bois et il fait trop noir pour qu'il puisse retrouver son chemin. Mais je le connais, ton frère. Je sais qu'il va tenir bon et nous attendre.

— **OUAIS**, si tu le dis, lâche Maggie en commençant à descendre l'escalier menant à la cuisine.

En arrivant dans la pièce, elle s'arrête net et pousse un cri étouffé. À la table, devant le jeu de Scrabble, Stéphanie et Jimmy gisent, **INANIMÉS** : Jimmy est affalé sur la table, tandis que Stéphanie, toujours droite sur sa chaise, a la tête renversée.

À la vue de ses parents, Charlie sent ses bras se couvrir de **CHAIR DE POULE**. Mais, faisant preuve de courage, il s'approche d'eux, espérant de tout son cœur qu'ils sont toujours vivants…

— ILS RESPiRENT ! crie-t-il, soulagé.

— Ils dorment, alors, dit Maggie, qui s'approche à son tour, prend le bras de Jimmy, le soulève, et le laisse tomber sans que l'homme ait la moindre réaction. **POURQUOi ?**

Charlie observe la table.

— Le café ! Ils en ont bu pendant qu'on était en haut. Quelqu'un a dû y mettre un produit qui fait dormir. Ne touche à rien! Le médicament est peut-être sur les tasses!

— **ET ÇA?** demande Maggie en montrant du doigt la planche de Scrabble. Est-ce que ce sont tes parents qui ont écrit ce message?

Sur la planche, des lettres ont été assemblées, formant cette invitation:

« ET SI ON FAISAIT UNE PARTIE DE CACHE-CACHE? »

Charlie et Maggie échangent un regard terrifié. Quelqu'un, tout près, leur veut du mal. Cette personne a capturé Louis, endormi Jimmy et Stéphanie.

— Maggie, dit Charlie avec gravité, il reste que nous deux…

— Et le maniaque, répond la jeune fille, la gorge sèche. Exactement comme dans le film de Globill.

Tout à coup, clic! La lumière s'éteint dans le chalet.

SCÈNE
14

PRÊTS, PAS PRÊTS, J'ARRIVE...

Les deux jeunes sont plongés dans le noir.

Le cœur battant à un rythme fou, Maggie souffle :

— Qu'est-ce qu'on fait : on reste ici ou on sort ?

Charlie ne sait pas quoi répondre. Il est **PARALYSÉ** par sa peur de l'obscurité.

— Charlie? Charlie!

La jeune fille saisit le bras de son ami. Ce contact a pour effet de le secouer.

— **CHARLiE !** Il faut faire quelque chose!

Le garçon se tourne vers elle en se disant que le maniaque peut être tout aussi bien à l'intérieur qu'à l'extérieur du chalet. Toutefois, il connaît un raccourci qui mène à la route. S'ils réussissaient à l'emprunter, ils pourraient aller chercher des secours. Mais il leur faudrait traverser le bois dans la nuit...

Charlie n'a pas le temps de faire part de ses réflexions à son amie, puisque la porte du salon donnant sur l'extérieur grince longuement. Un petit déclic se fait entendre. Puis, une voix s'élève dans la noirceur, tel un souffle spectral, tandis que la porte grince à nouveau :

« JE VOUS AI TROUVÉS... JE VOUS VOIS... JE SUIS AVEC VOUS... AHHHHHH ! »

— **VITE !** couine Maggie. Il faut sortir d'ici !

« JE VOUS AI TROUVÉS... JE VOUS VOIS... JE SUIS AVEC VOUS... AHHHHHH ! »

La jeune fille va s'enfuir à toutes jambes, quand Charlie l'attrape par la manche de sa robe de chambre.

— **ATTENDS !** Tu connais pas le bois. Ce serait dangereux. Viens avec moi !

« JE VOUS AI TROUVÉS... JE VOUS VOIS... JE SUIS AVEC VOUS... AHHHHHH ! »

Le garçon s'agenouille. Il invite son amie à faire de même.

— Comme ça, on ne nous verra pas de la fenêtre. **SUIS-MOI !**

— Pas au salon ! **IL Y A LA VOIX !** Pis t'as entendu la porte !

— Ouais. Il y a quelqu'un qui rôde autour de la maison. Mais on n'a pas le choix : soit on sort par la cuisine ou par le salon, soit on reste enfermés ici et on attend d'être capturés. Chose certaine : la voix n'a rien de surnaturel, tel qu'on voudrait nous le faire croire. C'est un enregistrement.

« JE VOUS AI TROUVÉS... JE VOUS VOIS... JE SUIS AVEC VOUS... AHHHHHH ! »

Les deux jeunes marchent à quatre pattes jusque dans la pièce qui jouxte la cuisine. Au milieu se trouve une table ovale ancienne en bois vernis. Comme le supposait Charlie, la voix provient d'une vieille enregistreuse à cassette, posée sur le meuble. Charlie

étend la main, appuie sur un bou-
ton. **CLIC !** La cassette s'arrête aussitôt ; la voix s'éteint.

— Tu vois. C'était rien qu'une voix
enregistrée.

— C'est quand même quelqu'un
qui veut nous faire mourir de peur
qui a fait le coup, répond Maggie.
Cette personne joue avec nous, tout
comme dans *Un maniaque au chalet*.
C'est assez diabolique, non ?

— On va s'en sortir, t'en fais pas.

— Et Louis ?

— On va le retrouver.

CLOW ! La porte de la cuisine claque. Maggie et Charlie sautent sur leurs pieds en hurlant de frayeur. **LE MANIAQUE !** Au fait, comment a-t-il réussi à entrer ? Les portes étaient pourtant fermées à clé !

— **HÉ HO !** crie Sangris aux jeunes, comme s'il lisait dans leurs pensées. Je me suis permis de prendre le double de la clé qui était caché sous le paillasson.

Puis, à l'adresse de Jimmy et de Stéphanie, immobiles comme des statues d'anges dans un cimetière :

— Dormez bien. Je vais m'occuper des enfants…

Mettant ses mains en porte-voix, il crie ensuite d'une voix enjouée en direction du salon :

— Prêts, pas prêts, **J'ARRIiiiiVE...**

SCÈNE

15

SILENCE, ON FUIT !

Le plancher craque. Le Cinéaste se rapproche. En silence, Charlie empoigne la main de Maggie et sort par la porte du salon.

La fraîcheur et l'humidité de la nuit ont pour effet de les rendre plus conscients encore du danger qui plane sur eux.

—**PLUS VITE !** On va se cacher dans le hangar !

La porte du salon claque alors qu'ils viennent tout juste de se glisser dans le bâtiment.

À l'intérieur, plongés dans l'obscurité, les attendent des mannequins **DÉMANTELÉS** et des marionnettes qui pendent du plafond, représentant des **CHAUVES-SOURIS**, des **DÉMONS AUX YEUX ROUGES** et des **BÊTES MONSTRUEUSES**, dont les traits sont accentués par les rayons de la lune. Ils n'ont jamais paru aussi **EFFRAYANTS**.

S'efforçant d'oublier sa peur du noir, Charlie entraîne son amie vers le fond de la bâtisse. Il s'y trouve une penderie, qui pourrait faire une bonne cachette. Il y a de la place pour deux, s'ils se font petits. Là, le criminel ne les trouvera pas. Ils vont s'y enfermer et attendre que passe la nuit. Au lever du jour, ils pourront plus facilement sortir du bois pour aller chercher de l'aide. «Et puis, songe le garçon avec un fol espoir, peut-être que le maniaque se fatiguera de nous courir après et qu'il finira par s'en aller...»

— **ENTRE**, ordonne Charlie en ouvrant la porte de l'armoire.

Maggie fait ce qu'il lui demande.

— Laisse-moi un peu de place, chuchote le garçon, en tentant de se glisser lui aussi dans la cachette.

Avant que Charlie ait eu le temps de se glisser à l'intérieur, la voix du maniaque, à l'entrée du hangar, et le halo d'une lampe de poche surprennent les jeunes.

— Bon, je vous ai laissé assez de temps. Je commence à vous chercher… Je sens que je chauffe…

Maggie écarquille les yeux et ouvre la bouche pour hurler. Charlie lui fait signe de se taire avant de refermer aussi doucement qu'il le peut la porte de la penderie. Puis, du regard, il se met à la recherche d'un coin pour se dérober à la vue du **PRÉDATEUR**. Pour le faire exprès, son pyjama, gris pâle, est couvert d'imprimés de têtes de morts qui brillent dans le noir !

Là ! Une pile de coussins ! **OUF !** Le garçon vient à peine de s'y dissimuler quand Sangris **SURGIT** derrière une table, accrochant au passage une pyramide de bouteilles de verre, qui fait un fracas infernal en s'écroulant.

— **YOUHOUUUUU !** C'est moi ! Je chauffe, je le sens. Je sais que vous êtes là ! J'ai trouvé une pantoufle de princesse à l'entrée du hangar ! Allez, Maggie, sors de ta cachette et viens faire du cinéma !

Les nerfs à vif, Charlie risque un coup d'œil du côté de la penderie.

«Pourvu qu'elle tienne le coup», se dit-il, tout en se **recroquevillant** sous les coussins.

— Où êtes-vous? demande le Cinéaste en gloussant. Comme de **vraies vedettes**, vous vous faites attendre!

BANG! Le criminel jette un mannequin vêtu d'une armure métallique par terre. Puis, il renverse un panier rempli de chapeaux.

— Comme on doit travailler ensemble, je vais vous faire une confidence: je ne suis pas très patient. Alors, princesse, est-ce que **tu viens au bal?**

Le maniaque se rapproche dange-
reusement. Apercevant les jambes de
l'homme dérangé, tout près, Charlie
retient son souffle. Il souhaiterait
être ailleurs, à l'abri et à la lumière,
avec ses parents.

— Je vais compter jusqu'à trois, et
si, après cela, vous ne vous mon-
trez pas, je vais me **FÂCHER...** et
quand je me fâche, je deviens **TRÈS
MÉCHANT**.

En parlant, Edmoutt Sangris renverse une lampe et un paravent, puis
arrache un tableau posé sur un che-
valet et le lance par terre, à quelques
centimètres à peine de Charlie, qui
fait tout en son pouvoir pour rester
immobile et ne pas hurler.

Et soudain, le maniaque ouvre la porte de la penderie. À l'intérieur, Maggie se tient droite et blême comme une poupée de cire. Puis, vient le cri :

— **AHHHHHHHHHHH !**

— Et de deux ! s'écrie le Cinéaste, victorieux, en attrapant la jeune fille par un bras et en la forçant à sortir.

— **NOOOOOON ! AU SECOURS ! LÂCHEZ-MOI ! CHARLiiiiiiiiiiiiE !**

— **OH !** Ton ami va bientôt nous rejoindre, ma belle ! ricane le prédateur en se dirigeant vers la sortie.

À la hauteur de la table où sont posés les masques créés par Stéphanie,

Sangris demande, avant d'éclater de rire :

— Lequel est le tien ? **AH OUI !** Celui **boursouflé** par les piqûres de guêpes. Justement, j'ai trouvé un nid, tout près. Je vais t'installer en dessous et on va attendre Charlie. N'est-ce pas, jeune homme ?

En parlant, le maniaque tourne la tête et monte le ton, pour être certain de bien se faire entendre par le garçon. Puis, il quitte le hangar alors que Maggie, sur son épaule, continue à se débattre et à appeler à l'aide.

Quand le silence revient, Charlie, la gorge nouée, se dit qu'il ne s'est jamais senti aussi seul.

SCÈNE
16

HURLEZ !
VOUS ÊTES FILMÉS !

Recroquevillé sous les coussins, Charlie fait le point. Le Cinéaste évadé de prison, les masques, les enlèvements, l'enregistrement, le sédatif administré à ses parents, les pneus crevés, le téléphone coupé, les araignées… En énumérant les faits, Charlie comprend que le maniaque souhaite tourner sa propre version du dernier **film de Globill**. Il réalise aussi qu'il est le seul à pouvoir sauver ses parents et ses amis.

Le jeune garçon sort prudemment de sa cachette. Il sait où le maniaque a pu emmener Maggie. Dans le bois, près des framboisiers sauvages, il y a un arbre où les guêpes ont construit un **ÉNORME NID**. « C'est là qu'il veut m'entraîner. Il l'a dit en sortant. »

Charlie tend la main vers une petite table, ouvre un tiroir et, à tâtons, saisit une **lampe de poche**. Il va l'allumer, quand il se ravise. « On ne sait jamais, Sangris est peut-être caché à la sortie du hangar. »

Le garçon tremble de peur et de froid. Pour se rassurer, il se parle. « En tout cas, si je survis à cette **histoire de fous**, je n'aurai plus jamais peur du noir, c'est certain. Ça fait au moins un point positif… »

Charlie cherche la lumière de la lune à travers la porte du hangar, restée ouverte, avant de se mettre à ramper vers un coffre à costumes, où sont rangés des vêtements de marion-nettistes. Là, il troque son pyjama contre un pantalon et un chandail à poche kangourou noirs, des bottes, une cagoule et des gants, tous de la même couleur.

Quand il a fini de s'habiller, il prend un des mannequins jetés par terre par le maniaque et entreprend de le **vêtir de son pyjama**. Il compte en faire un leurre.

Ses préparatifs terminés, Charlie sort du hangar. Il pose ensuite le mannequin contre le mur de la bâtisse. Il s'en éloigne rapidement en rasant le sol.

Il n'a pas fait trois mètres que la voix d'Edmoutt Sangris retentit dans un porte-voix :

— **CHARLiiiiiiiE !** Ton pyjama brille dans la **NUiiiiiiiT !**

« Il me voit, songe le garçon avec effroi. Ou plutôt, il voit le mannequin. Mais comment ? Et... où est-il ? »

Dissimulé derrière l'un des arbustes des plates-bandes du chalet, Charlie scrute les lieux à la recherche d'un indice pouvant le renseigner sur l'endroit où se terre Sangris.

Tout à coup, il aperçoit une petite lumière rouge émanant d'un arbre, planté entre le chalet et le hangar. « Une caméra… **SURTOUT, NE PAS BOUGER.** »

Charlie respire à petits coups. Son cœur bat vite. Les décisions qu'il va prendre dans les prochaines secondes seront cruciales. « S'il me voit, **JE SUIS CUIT.** »

Comme si le Cinéaste avait des dons de télépathe, il chantonne dans son porte-voix :

— CHAAAAAARLiiiiiiiiiiiiE !

Il semble au garçon que la voix du maniaque s'est rapprochée. Il lui faut réagir promptement. « Il va bientôt se rendre compte que ce n'est pas moi qui se trouve contre le mur du hangar. Dégage, Charlie ! **SAUVE-TOi !** »

Le garçon sort de sa cachette en demeurant accroupi. Prenant le parti d'aller là où Sangris ne l'attend pas, et pour éviter d'être vu par la caméra, Charlie longe le mur arrière du chalet, puis s'élance vers les arbres. Tout en prenant soin de rester à l'ombre et en tentant de faire le moins de bruit possible, il se rend derrière le chêne où est posée la caméra.

En trois secondes, Charlie grimpe jusqu'à la branche où se trouve l'appareil. **Et hop!** Il saisit la caméra, l'éteint et la met dans la poche de son chandail. «On ne sait jamais. Elle pourrait servir à filmer des preuves...»

Des craquements et des bruits de feuilles froissées indiquent au garçon, dont tous les sens sont en alerte, que le Cinéaste est tout près.

— Ah ben, mon coquin! s'exclame le prédateur en surgissant sur le côté du hangar et en apercevant le mannequin. T'es encore plus comique

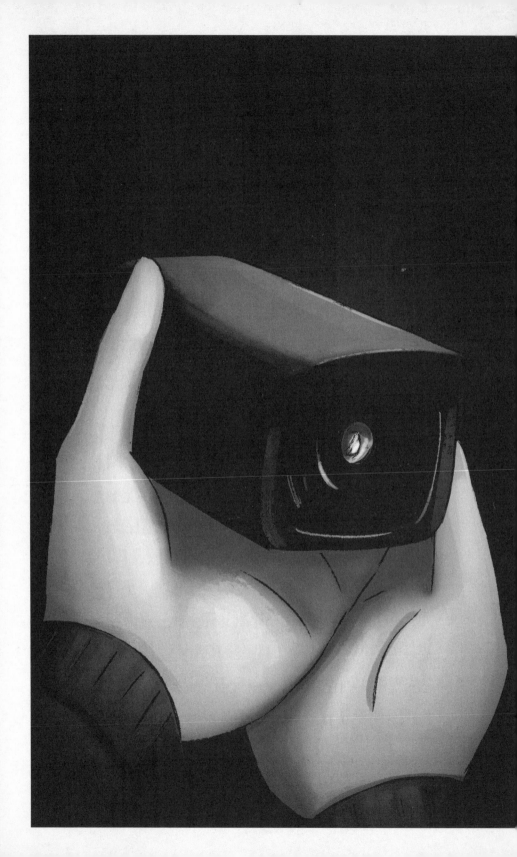

que ton ami Louis! **J'AIME ÇA!** Où est-ce que t'es? Est-ce que je brûle? **ALLEEEEEZ!** Donne-moi un indice!

Sangris se tourne vers la caméra dans une pose théâtrale. Il réalise alors que la lumière rouge est éteinte. Son sourire s'efface de son visage.

D'un pas déterminé et en poussant un grognement de frustration, le maniaque se dirige vers l'arbre où son appareil est censé être installé. Il grimpe aux branches et tend la main pour prendre sa caméra, en se demandant pourquoi elle s'est arrêtée de tourner. Il a pourtant mis des piles neuves ce soir… **OUPS!** La caméra n'y est plus!

Le Cinéaste saute de l'arbre, regarde à ses pieds, tâte le sol. Quand il réalise qu'on lui a volé son appareil, il se met en colère.

— **CHARLiiiiiiE !** Tu touches pas à mes affaires ! Parce que ça me rend de **MAUVAISE HUMEUR...**

Le maniaque tourne les talons, revient vers le hangar, donne un coup de pied au mannequin et disparaît dans le bois. Charlie, qui, durant tout ce temps, était caché derrière un arbre à deux pas du Cinéaste, lâche un long soupir. Il ne croyait pas qu'il était possible de retenir son souffle aussi longtemps.

Et, tandis qu'il entend encore les pas du criminel entre les branches, il décide de le suivre. « Soit il s'en va vers son repaire, soit il s'en retourne auprès de mes amis, soit il veut me tendre un piège. D'une façon ou d'une autre, je vais finir par en avoir le cœur net. »

SCÈNE

17

LE JEU DU CHAT ET DE LA SOURIS

Charlie suit le Cinéaste dans les bois un bout de temps, sans que celui-ci se rende compte de sa présence.

Bientôt, le faisceau de la lampe de poche que l'homme manie en se déplaçant laisse voir au garçon une console, des trépieds, une caméra, non, deux…

« **Un studio mobile**, pense Charlie, soufflé. Il a mis des caméras **PARTOUT !** » Si ses amis et ses parents voyaient ça! À l'évocation des siens, le garçon sent une boule se former dans sa gorge. «Dans quel état sont-ils en ce moment? Sont-ils encore vivants? Qui sauver en premier? Quelle terrible question!»

Soudain, la voix du maniaque résonne, enjouée, alors que le faisceau de sa lampe de poche balaie les environs:

— **CHARLiiiiE!** JE TE VOiiiiS! ALLEZ, **RENDS-TOiiiii!**

«Il bluffe», pense Charlie, qui a du mal à respirer.

Il a les poumons en feu.

Caché derrière un buisson, le garçon se dit en effet que, si le maniaque l'avait trouvé pour vrai, il cesserait de faire aller le faisceau de sa lampe de poche en tous sens et le braquerait sur lui. « Il sait que je suis dans les alentours et il veut me faire sortir de ma cachette. »

Pendant que Charlie réfléchit à la situation, se demandant comment agir, le Cinéaste s'impatiente :

— Bon, bien, ma petite souris, si tu ne veux pas sortir de ton trou, le chat va devoir te stimuler un peu. Je vais aller voir ton ami Louis, pour voir comment il va... Si tu veux le revoir vivant, suis-moi... **HA ! HA !**

«Non, je te suivrai pas, espèce de fou», se dit le garçon en observant Edmoutt Sangris, qui joue avec sa console. «Je vais plutôt aller voir Maggie. On ne sera pas trop de deux pour retrouver Louis et le libérer.»

Charlie mord dans son poing pour ne pas hurler quand Sangris, en revenant sur ses pas, passe à un bras de lui. Il s'assure de ne plus l'entendre et de ne plus voir sa silhouette entre les arbres avant de se remettre en mouvement.

«Tiens bon, je t'en supplie, Maggie. **J'ARRIVE.**»

SCÈNE

18

MAGGIE ? NOOON !

Charlie sait où se trouve son amie.
Il y a un **énorme nid de guêpes**
tout près du chemin qui mène au
chalet. Le garçon l'a remarqué la
dernière fois qu'il est venu avec ses
parents. Ceux-ci l'ont bien averti de
ne pas y toucher et de ne pas jouer
autour. Les piqûres de ces insectes,
c'est connu, sont très douloureuses
et peuvent même être mortelles.
« Mais, se désole le garçon, on m'a
jamais dit si les guêpes pouvaient
attaquer la nuit… »

Charlie s'arrête soudainement. «Maggie!»

Devant lui, de l'autre côté du chemin, la lune éclaire une silhouette ligotée au peuplier dans les branches duquel se trouve le nid. Ce dernier est suspendu juste au-dessus de la tête de Maggie, qui ne bouge pas d'un fil. «La pauvre, elle doit être morte de peur! **HÉ!** Où se trouve son EpiPen? *Oh my God!* Il ne faut surtout pas qu'elle se fasse piquer!»

En accéléré, Charlie voit se dérouler, comme dans une vidéo, une suite de symptômes associés à une réaction allergique mortelle due à des piqûres de guêpes. D'abord, comme le lui a déjà expliqué son amie, des rougeurs apparaissent sur la peau ; ensuite, le visage gonfle, puis la gorge… Après peuvent survenir des vomissements, des difficultés respiratoires et, pour finir, l'étouffement. Maggie lui a même raconté l'histoire d'un gars qui s'était fait piquer dans un œil ; celui-ci s'était mis à gonfler, gonfler…

Paniqué à l'idée de tout ce qui pourrait arriver si le nid tombait sur Maggie, Charlie est tenté de courir jusqu'à elle pour la libérer illico. Mais il se retient de justesse. «Est-ce que Sangris, pour pimenter son scénario, aurait **truqué le nid** pour qu'il tombe sur nous dès que Maggie se lèvera? Est-ce qu'il a parsemé les alentours de **PIÈGES**, de caméras ? »

Parcouru de sueurs froides, Charlie analyse la situation du mieux qu'il le peut. Conscient de l'imminence du danger, le garçon tend l'oreille et observe le terrain. « Pas de maniaque dans les parages », note-t-il, tout en se faisant la réflexion qu'à force d'évoluer dans l'obscurité, on finit par y voir comme en plein jour, ou presque.

« À moi de jouer », conclut-il, en jetant un œil à la lune, qui est quasiment pleine, pour chercher, dans sa lumière, un peu de force. Après quoi, il entreprend de traverser le chemin, crispé, les nerfs en boule : il n'avait jamais remarqué que le gravier faisait autant de bruit quand on le foulait la nuit. « La terre **ENTIÈRE** doit m'entendre. »

En trois secondes, il se retrouve face à l'arbre où est attachée la jeune fille. Il se retient alors difficilement de crier de **TERREUR** et de désespoir. Non seulement Maggie est immobile, mais elle a le visage tout boursouflé ! « **NON !** Elle n'a pas été attaquée par les **INSECTES !?!?** »

Le garçon sent des larmes brûlantes lui monter aux yeux. Son amie avait si hâte de venir au chalet ! Lui était tellement content de lui faire visiter les lieux de son enfance, de réaliser un film avec elle…

Bouleversé, Charlie sent ses jambes se dérober sous lui. Sentant monter un sanglot, il tombe mollement sur le sol, indifférent aux caméras qui sont sûrement braquées sur lui. «Qu'il vienne, le Cinéaste, qu'on en finisse», se dit-il, abattu.

Un cri étouffé lui fait relever la tête.

— Maggie? Tu es vivante?

— **MFFFGMMFFF...**

Charlie se secoue, essuie ses yeux. Son amie a survécu à une attaque de guêpes. Il doit absolument lui apporter les premiers soins!

— Je suis là, Maggie. C'est moi, Charlie.

Il entreprend aussitôt de la libérer de ses liens, ce qui n'est pas chose aisée. De toute évidence, le maniaque connaît une panoplie de nœuds impossibles à défaire. Et Charlie, paniqué, tente de faire aussi vite qu'il le peut : son amie doit éprouver des difficultés respiratoires sévères et sa peau doit brûler comme du feu.

— MFFGHMMFFFF...

— Désolé, Maggie. Je ne veux pas te faire mal.

Dès que ses liens tombent, la jeune fille bondit sur ses pieds, s'éloigne du peuplier et se met à sauter sur place en portant les mains à son visage.

C'est horrible de la voir ainsi. Charlie se sent impuissant devant l'immense douleur qu'elle semble ressentir.

— Viens, lui dit-il doucement. On va aller chercher ton EpiPen au chalet.

Elle lui répond en poussant un grognement sourd, avant d'arracher le masque qu'elle porte sur le visage. En dessous, elle est bâillonnée.

— **BOUGE PAS**, je vais t'aider, dit Charlie, soulagé de constater qu'il s'est fait avoir par le travail d'artiste de sa mère et que son amie va beaucoup mieux qu'il ne l'imaginait.

— Enfin, dit Maggie quand le garçon la libère. Je respirais pas, là-dessous. Je pensais devenir **FOLLE**.

Maggie frotte ses joues et ses lèvres, blessées par le bâillon, qui était très serré.

— Ça va? demande-t-elle à Charlie, qui la regarde sans parler depuis tantôt.

Le garçon sourit, heureux de retrouver son amie saine et sauve. Pour lui, il reste donc encore un espoir d'échapper aux **PLANS MONSTRUEUX** du Cinéaste.

— Ouais, répond-il. Mais il faut trouver une place où se cacher.

Le maniaque va sûrement revenir d'une seconde à l'autre.

— **ALLONS-Y**, dit-elle, en dissimulant le masque sous un arbuste. Mais avant, on va essayer d'appeler la police.

La jeune fille saisit son iPod, caché dans la poche de sa robe de chambre.

— **OH NON!** Ma pile est morte!

Soudain, le iPod de Charlie sonne.

Louis

Où es-tu ?

Charlie et Maggie échangent un regard terrifié.

— C'est le maniaque, dit Charlie.

— On ne devrait pas lui répondre. À moins que…

Maggie explique au garçon qu'ils pourraient lancer le Cinéaste sur une mauvaise piste. Ainsi, ils gagneraient du temps et pourraient plus facilement se mettre à la recherche de Louis.

— T'as raison, dit Charlie.

Charlie

Vous ne nous retrouverez pas. On est sur le chemin du village.

Louis

Comment, « on » ? Tu n'es pas seul ?

ZUT ! En voulant déjouer Sangris, les jeunes se sont trahis…

— Qu'est-ce qu'on lui répond ? demande Charlie, paniqué.

— Rien, on part d'ici, parce que j'ai pas envie d'avoir encore affaire à lui.

Louis

Je pars à votre recherche…

Les deux jeunes viennent à peine de lire le texto que le iPod de Charlie s'éteint pour de bon.

218

— Ça y est, dit le garçon, déprimé. On a perdu le dernier moyen qu'on avait pour appeler la police.

— Oui, mais on a une chance de retrouver mon frère, tandis que Sangris part à notre recherche...

— **C'est vrai.** Mais où il se trouve, d'après toi ?

— Si on se fie au scénario du film de Globill, on devrait le chercher près de la rivière.

— T'as raison, répond Charlie. En espérant qu'on le retrouvera vivant...

— Dis pas des choses comme ça! Tu trouves pas que ça va assez mal de même?

Charlie reste silencieux pour ne pas affoler davantage Maggie, mais il se dit que les choses pourraient effectivement empirer si le Cinéaste les capturait.

— **Viens.** Je connais un raccourci…

— **OUCH!** Pas si vite! J'ai les pieds nus, moi!

SCÈNE

19

COMME UN PAPILLON
DE NUIT

Cachés derrière de grosses pierres, Charlie et Maggie observent les lieux. Ils semblent déserts, mais une faible lumière brille dans la cabane.

— Louis doit être enfermé ici, murmure la jeune fille.

— Peut-être. Peut-être aussi que c'est un piège, répond Charlie, dont le cœur bat à une vitesse **FOLLE**.

— **T'as raison.** On devrait s'en retourner au chalet et attendre que tes parents se réveillent. Après, on pourrait revenir et libérer mon frère. À quatre contre un, ce serait plus prudent.

— C'est probablement ce que le maniaque pense qu'on va faire. Il nous attend peut-être déjà en chantant des berceuses à mes parents.

Les deux jeunes restent silencieux un moment, tout à leurs réflexions.

— Reste ici, dit tout à coup Charlie en se levant. **Cache-toi bien.** Je vais aller faire un tour pour voir ce qui se passe dans la cabane.

Maggie saute sur ses pieds.

— J'y vais avec toi !

— **CHUT !** Sangris est peut-être tout près ! Et puis, tes vêtements sont trop pâles. On peut les voir dans le noir. Reste ici, je vais seulement faire le tour de la cabane. Tu viendras me rejoindre quand je te ferai signe.

— Pas question, répond Maggie en suivant Charlie. J'y vais avec toi… **AïE !**

Le garçon se retourne, sur le qui-vive.

— Qu'est-ce qui se passe ?

La jeune fille s'appuie contre un arbre. Les rayons de la lune laissent voir ses traits crispés par la douleur.

— Je viens de mettre le pied sur une pierre coupante. **ÇA SAiGNE**. Je pense que j'ai le talon fendu...

Charlie enlève sa cagoule.

— **ASSiEDS-TOi**. Je vais te bander le pied.

Maggie se laisse tomber sur une souche. Son pied saigne abondamment.

— Penses-tu que je vais mourir, vidée de mon sang?

— Mais non, répond bravement Charlie en lui bandant le pied du mieux qu'il le peut avec sa cagoule et le cordon qu'il a retiré du capuchon de son chandail. On va survivre. **Promis.**

Le garçon se relève. Maggie sourit. Elle est blanche. Autant que la lune, semble-t-il à Charlie.

— Tiens, dit-il. Ça devrait tenir. Pour le moment, tu restes ici, tu fais pas de bruit et tu bouges plus. Je reviens dans quelques minutes.

— D'accord, mais sois prudent.

Charlie se lève et, furtivement, entreprend de se rendre à la cabane.

À travers le feuillage, Maggie le regarde avancer vers la lumière. Il lui fait penser à un **papillon de nuit.** «Pourvu qu'il ne se brûle pas les ailes», songe-t-elle en frissonnant.

SCÈNE

20

PÉRIL AU BORD DE L'EAU

Des cris assourdis et des coups proviennent de l'intérieur de la cabane. Charlie s'approche de la fenêtre en essayant de ne pas penser au fait que des **caméras cachées** sont probablement en train de le filmer.

Le garçon se hisse sur la pointe des pieds pour regarder à travers la vitre. Ce qu'il aperçoit lui arrache un petit cri. **C'est Louis ! Il est vivant !** Toujours vêtu du costume du maniaque, il est ligoté sur une chaise, dos à la fenêtre. Il se débat pour se libérer, mais ses liens, semble-t-il, sont trop serrés.

Un moment, Charlie est tenté d'aller chercher Maggie, comme il le lui a promis. Mais elle est blessée. Si le maniaque survenait, elle aurait de la difficulté à courir. « Non, conclut-il, ce serait **TROP DANGEREUX** pour elle. Maggie est aussi bien de rester là où elle est, à l'abri. Au pire, s'il m'arrivait malheur, elle pourrait aller chercher de l'aide. »

Le garçon tend l'oreille et jette des coups d'œil à gauche et à droite. Personne. Longeant le mur du cabanon, il se rend jusqu'à la porte et l'ouvre aussi silencieusement qu'il

le peut, compte tenu de ses pen-
tures rouillées qui grincent de façon
affolante. Il s'arrête un moment, les
NERFS TENDUS à l'extrême. Puis,
il entre.

— Louis, c'est moi, Charlie, chuchote le garçon. Est-ce que ça va ?

Des gémissements étouffés par un
bâillon lui répondent.

— T'en fais pas, je vais te libérer…

Charlie marche jusqu'à son ami, qui
lui tourne le dos et qui se trouve
dans un coin sombre, le chapeau
enfoncé sur la tête.

— Je vais te détacher…

Le garçon défait les liens de Louis, qui, **ÉTRANGEMENT**, sont plus lâches que ceux qui retenaient Maggie à l'arbre. Puis, il dénoue le foulard qui l'empêche de parler.

— Tiens, tu es libre. Viens, le maniaque ne doit pas être loin !

Le garçon se précipite vers la sortie. Réalisant que son ami ne le suit pas, il se retourne.

— **COUCOU !** fait Sangris en ricanant, avant de l'empoigner par l'épaule.

Charlie pousse un long hurlement de frayeur.

— **TUT, TUT, TUT,** le réprimande le Cinéaste. Crie pas comme ça. Grâce à moi, tu vas devenir une vedette !

— **VOUS ÊTES MALADE ! LÂCHEZ-MOi !**

Le garçon se débat, tente d'échapper à la poigne de son agresseur. Celui-ci resserre son emprise.

— Arrête de gigoter, ça sert à rien. J'ai des plans pour toi et tes amis. Justement, dis-moi : où est Maggie ?

Pour gagner du temps et alerter son amie, Charlie parle aussi fort qu'il le peut :

— Elle est partie au village. Bientôt, la police va venir et vous arrêter.

Sangris sourit méchamment.

— Tu es un **TRÈS MAUVAIS** menteur. Dis-moi où est ton amie…

En parlant, Edmoutt Sangris serre les dents et enfonce ses ongles sales dans l'épaule du garçon, lui arrachant une grimace de douleur.

— Je vais finir par la trouver. J'ai des caméras partout dans le bois, et tu le sais. Mais tu vas regretter de m'avoir fait perdre du temps. Et puis, donne-moi ça, dit-il en lui arrachant la lampe de poche qu'il avait attachée à sa ceinture.

Le Cinéaste pousse le garçon vers la sortie. En arrivant dehors, Charlie a un haut-le-cœur. Le parfum boueux de la rivière, des feuilles mortes et des champignons, de même que **L'ODEUR** que dégage le maniaque le prennent à la gorge. De toute évidence, il ne s'est pas lavé depuis de nombreux jours. Il sent la sueur, la saleté…

— On a plusieurs scènes de nuit à tourner et le soleil est sur le point de se lever… Alors, est-ce que tu me dis où est Maggie ou je dois la trouver moi-même ?

Le criminel allume la lampe de poche. Il braque le faisceau sur les arbustes et les pierres où se terre

Maggie. Charlie, qui veut à tout prix l'empêcher de trouver son amie, l'entraîne dans une tout autre direction.

— Venez, elle est par là…

Le garçon reprend le chemin du chalet aux côtés de Sangris, qui ne lui lâche pas le bras. Charlie garde le silence, désespéré par la tournure des événements. Pour lui, tout est perdu. «Pourvu que Maggie réussisse à sortir du bois pour **aller chercher des secours**. Tous les espoirs reposent sur elle, maintenant. Mais, mieux vaut être réaliste : ce sera difficile, avec sa blessure… »

SCÈNE

21

LES NERFS À VIF

Soudain, Edmoutt pousse un cri de douleur et porte la main à sa tête, avant de s'écrouler sur le sol. Charlie trébuche à son tour, tombe, se relève bien vite et se retourne.

— MAGGIE ?!?!

La jeune fille se tient debout derrière eux, chancelante. Elle a dans les mains l'énorme branche avec laquelle elle vient d'assommer le Cinéaste.

— Je pense qu'il est mort. **Viens !** On s'en va d'ici ! dit-elle en hoquetant.

— Attends, il faut que je reprenne ma lampe. On va en avoir besoin pour aller chercher de l'aide.

Charlie se penche et arrache l'objet de la main de Sangris, qui est mou comme de la guenille.

— C'est bon, on peut y aller !

Le garçon tourne les talons. Il va s'enfuir quand le Cinéaste lui saisit la cheville. Charlie pousse alors un cri de surprise avant de tomber face contre terre, aux pieds de Maggie, qui s'immobilise, comme frappée par la foudre.

Le maniaque se relève et, de sa main libre, balaie la terre qui se trouve sur ses vêtements. Du sang coule dans son cou et il tangue. Maggie a dû le blesser sérieusement.

— Mets-toi contre cet arbre, dit-il à la jeune fille d'une voix blanche. Et toi, crie-t-il à Charlie, **RELÈVE-TOI !** Et surtout, pas de bêtises…

Le garçon obtempère et marche jusqu'au tronc que désigne Sangris. Quant à Maggie, elle demeure immobile, paralysée par la terreur.

— Plus vite que ça ! hurle le maniaque en lui arrachant la branche des mains. **ES-TU SOURDE ?** On a un film à finir !

Le Cinéaste pousse brutalement Maggie contre l'arbre, dos à Charlie. Il sort ensuite une corde de la poche de son pantalon.

— Comme vous avez tendance à vous sauver, **J'AI PAS LE CHOIX**, je vais devoir vous **ATTACHER**. En passant, où est ton masque, Maggie?

La jeune fille regarde Sangris sans parler, en état de choc.

— On dirait bien que tu l'as oublié. Tu es… vous êtes brouillons, c'est incroyable. Une chance que je suis là pour penser à tout.

Le criminel vérifie la solidité des liens qu'il vient de nouer. Cette fois, les jeunes ne pourront pas se sauver. Satisfait, il dit, tout en plaçant les cheveux de Maggie :

— Je vais aller chercher mes caméras. Ne bougez pas d'ici. En attendant, je vais poser celle-là devant vous, pour vous avoir à l'œil. Vous être trop vilains, on peut pas vous faire confiance.

Le Cinéaste installe une caméra sur la branche basse d'un arbre, face aux deux jeunes.

— **SOURIEZ,** et surtout restez tranquilles. Je vais vous voir dans mes moniteurs !

Sangris tourne ensuite les talons. Il s'éloigne en chantonnant.

— Ça va ? demande Charlie.

— **OUAIS,** répond-elle d'une voix monocorde. Mais j'ai mal au pied. Je me demande si Louis vit encore.

— Je l'espère.

— On est perdus, **HEiN ?**

— Si on reste ici, oui. J'ai un petit canif dans la poche de mon pantalon, es-tu capable de le prendre ?

Maggie tend les mains autant qu'elle le peut, étant donné la solidité des liens qui l'attachent à l'arbre. Elle est sur le point d'y parvenir, au prix de grands efforts, quand un son inhabituel se fait entendre. Elle lâche alors tout, le cœur battant.

— Qu'est-ce que c'est? demande-t-elle, la voix tremblante.

— CHUT !

Elle se tait. Des coups retentissent, au bord de la rivière.

— On dirait quelqu'un qui frappe sur du bois, souffle Charlie.

— Penses-tu que c'est le Cinéaste qui revient avec une machine de torture?

La voix de Maggie monte dans les aigus.

— Du calme, répond Charlie, qui a du mal à contenir sa propre frayeur. Concentre-toi sur le canif. Le canif, Maggie…

Et soudain, la voix du maniaque résonne dans son porte-voix :

— J'arrive, les amis, **J'ARRiiiiiVE !** J'ai une petite surprise pour vous !

Parcourue de frissons, Maggie tente à nouveau de tendre les mains vers les poches de Charlie. La corde blesse sa peau. Il lui semble qu'elle ne peut pas supporter davantage de douleur. Elle se sent sur le point de flancher.

— **Vas-y, lâche pas,** l'encourage Charlie.

Le bruit, à leur grand désespoir, se fait de plus en plus fort.

— **Vas-y,** poursuit Charlie, fais vite, Maggie ! Il s'en vient !

— Je fais du mieux que je peux, répond son amie, paniquée.

Et soudain, son cri déchire la nuit.

Fondu au noir.

SCÈNE

22

LE SPECTRE DE LA RIVIÈRE

— Qu'est-ce qui se passe? demande Charlie, **TERRIFIÉ**, qui, dos à Maggie, ne voit pas ce qui l'effraie.

Couvert de boue, un spectre ligoté rampe sur le sol, près de la rivière, à côté de la chaloupe, en déployant de grands efforts pour se relever.

— C'est… c'est… c'est… le… le… fan… **LE FANTÔME DE LOUIS,** bégaie Maggie, qui tremble de tous ses membres. Il… il… revient pour me **PUNIR** d'avoir été méchante avec lui…

— **HEIN ?!?** Tu sais que les fantômes n'existent pas, réplique Charlie.

En fait, le garçon n'est pas convaincu de ce qu'il avance. Pourquoi dit-il que les fantômes n'existent pas? Tout à coup, il lui semble qu'il ne sait plus très bien départager le vrai du faux, **le réel de la fiction**. Il a vu tellement d'horreurs depuis que le soleil s'est couché!

Se débattant néanmoins pour demeurer dans la réalité, il tourne la tête autant qu'il le peut et hausse

le ton pour attirer l'attention du
« spectre ».

— LOUiS ? C'EST TOi ?

Des gémissements lui répondent.

— Il tente de se relever ! s'exclame
Maggie. Il s'agrippe à la chaloupe !
My God ! T'as raison : je pense que
c'est Louis !

— Louis, si c'est toi, fait Charlie,
viens nous aider !

Comme Louis a les pieds et les
poings liés, il doit déployer de
grands efforts pour se remettre en
position debout. D'autant plus qu'il
porte un **masque de caoutchouc**
qui entrave sa vue et son ouïe, et

l'empêche de bien respirer. Mais, animé par la volonté de survivre et de sauver les siens, il finit par se relever. Maudissant son masque et la nuit, il tend ensuite l'oreille pour savoir d'où proviennent les voix de sa sœur et de Charlie.

— LOUIS ! PAR ICI !

S'armant de courage, le garçon se met à sautiller pour rejoindre Charlie et Maggie. C'est difficile : sur le bord de la rivière, le sol est boueux, et donc très glissant. Malheur ! Louis trébuche sur une racine et s'étale dans une flaque d'eau. Son cri de douleur et de colère est étouffé par son bâillon.

Or, tout n'est pas perdu, puisque Maggie, qui a réussi à glisser sa main dans la poche arrière du pantalon de Charlie, saisit le canif.

— **JE L'AI! JE L'AI!**

— C'est bien, la félicite Charlie. Maintenant, essaie de le mettre dans ma main.

Sur la berge, Louis gémit en gigotant.

— **OH NON!** Sangris est revenu! crie Maggie. Il vient d'apercevoir Louis!

Devant les yeux horrifiés de la jeune fille, Louis roule sur lui-même pour essayer d'échapper au criminel, qui arrive sur la berge, les bras chargés de caméras et de trépieds. Celui-ci pose ses appareils sur une pierre avant de revenir près de la chaloupe.

Pendant ce temps, Charlie, qui a pris le couteau des mains de Maggie, tente de couper ses liens en frottant frénétiquement la corde avec la lame.

— **LOUIS, LOUIS, LOUIS...,** gronde le maniaque en s'approchant du garçon, qui patauge dans la boue. Comme ça, t'as réussi à sortir de ta cachette?

Sangris braque le faisceau de sa lampe de poche sur la chaloupe.

— **AH...** t'as creusé un trou avec tes pieds... T'es sorti comme un petit rat... **TUT, TUT, TUT...** Mais t'es tout sale! Regarde ton beau costume. Il est complètement crotté. Et qu'est-ce que je vois sur ta chemise? **DES SANGSUES?**

En entendant le mot « sangsue », Louis sent la panique le gagner. Il tourne vivement la tête à gauche et à droite pour examiner ses vêtements. Le masque qui lui couvre la tête l'empêche toutefois de bien voir.

Maggie assiste à la scène, tétanisée. De son côté, Charlie continue de frotter la lame du canif contre la corde qui les retient prisonniers.

Arrivera-t-il à les libérer avant que Sangris reporte son attention sur eux?

— Laissez-le tranquille, **ESPÈCE DE FOU !** En plus, vous êtes même pas un vrai cinéaste! crie tout à coup Maggie, hors d'elle.

— Ça, c'était pas une bonne idée, chuchote Charlie, qui ne souhaite pas du tout, en ce moment, provoquer Sangris.

Le maniaque s'arrête net. Il se penche vers Louis, arrache l'une des sangsues qu'il a dans le cou et revient vers Maggie.

— **MOI, PAS UN VRAI CINÉASTE?** Tu me déçois, Maggie. Comme j'ai pas de savon pour te nettoyer la bouche, je vais te faire bouffer une sangsue. **ALLEZ, MONTRE LA LANGUE.**

Maggie, épouvantée, serre bien fort les lèvres, ce qui fait sourire le maniaque, qui colle la sangsue sur son avant-bras et sort son cellulaire. Il braque l'objectif de son appareil sur la jeune fille.

— Voyons maintenant comment tu vas t'y prendre pour avaler la sangsue…

Le Cinéaste approche son bras sur lequel se trouve la sangsue du visage de Maggie. Celle-ci geint, les yeux exorbités.

— Si tu veux pas ouvrir la bouche, ma belle, je vais devoir punir l'un de tes amis. Charlie, par exemple.

— **AH OUI ?** Qu'est-ce que vous allez me faire ?

Le maniaque pointe son objectif sur le visage du garçon.

— À toi, rien… mais à tes parents, par contre… Comme ils dorment profondément, je peux leur faire n'importe quoi. Je vais aller chercher ta mère, tiens…

— **NOOOOOON !**

D'horreur, Charlie laisse tomber son canif. Comme un malheur n'arrive jamais seul, la lame produit un **éclat brillant** en se plantant dans le sol, ce qui attire l'attention du criminel.

— Eh bien, dit-il en se penchant pour ramasser l'objet. Tu voulais me jouer un **nouveau tour ?** T'es vraiment un mauvais garçon… **HMMM…** Je vais aller chercher ta mère. Mais avant, je dois donner un bain à Louis, qui est tout sale. Un vrai petit cochon. Heureusement qu'il y a la rivière tout près. Votre chalet est vraiment bien situé. **PAS VRAI, LOUIS ?**

Pas de réponse. Sangris lève la tête. Louis a disparu.

— Encore un contretemps, crache l'homme en fourrant brutalement le canif dans sa poche. Où est-ce qu'il est allé, celui-là? Pas moyen qu'il reste tranquille deux minutes. J'ai jamais travaillé avec d'aussi **MAUVAIS COMÉDIENS**. Vous me décevez vraiment!

L'évadé de prison passe à côté de Maggie en se rendant à la chaloupe.

— Vous êtes un criminel, crache la jeune fille.

— Tu as raison, dit le maniaque en ricanant. Tiens, en attendant…

Le maniaque décolle la sangsue de son bras avant de la poser sur la joue

de la jeune fille. Celle-ci se met à **HURLER**, ce qui fait glousser Sangris.

Le Cinéaste commence ensuite à fouiller les lieux en menaçant Louis de le punir s'il ne sort pas immédiatement de sa cachette.

— Tu dois pas être bien loin… Où es-tu, **VILAIN GARNEMENT?** C'est l'heure du bain, alors, viens tout de suite!

Si Charlie n'était pas attaché à l'arbre, il s'écroulerait sur le sol, tant il est abattu. Il n'y a plus aucun espoir : ses parents, qui dorment toujours, sont à la merci de Sangris, tout comme lui et Maggie. « Pourvu, pense-t-il, que le maniaque ne retrouve pas Louis. Pourvu que lui, au moins, puisse s'échapper… Sinon, ce sera la fin. Exactement comme dans le film de Globill.»

À ses côtés, Maggie, la bouche fermée, a les larmes aux yeux. **La sangsue a bougé** sur son visage et s'est installée juste au-dessus de sa lèvre supérieure. Aussi, elle répond par des sons de gorge à Charlie, qui, malgré son propre désarroi, tente de la réconforter, de lui changer les idées.

— Maggie, vois-tu la lune?

— **Mmmmm...**, répond-elle, crispée, luttant de tout son être pour ne pas sombrer dans la folie à l'idée que la sangsue lui entre dans une narine et lui ponde une colonie de bibittes qui sucent le sang à l'intérieur de la tête.

— Elle est belle, hein ? Elle pourfend l'obscurité, c'est ce que mon père disait, tu te souviens ?

— **Mmm...**

— Autrement dit, elle est comme un genre de superhéroïne…

Maggie ne répond rien, cette fois.

— Peut-être que je délire, mais de toute façon, comme on n'a plus rien d'autre à faire, on pourrait la regarder et bien se concentrer pour l'appeler à l'aide. Qu'est-ce que t'en dis?

Les deux jeunes lèvent alors les yeux au ciel et, de tout leur cœur, lancent un vibrant appel à la lune.

Pendant ce temps, Sangris cherche toujours Louis, qui demeure introuvable.

Un fin nuage passe devant l'astre, ce qui ramène Charlie à l'arbre, aux liens qui le blessent, au **film d'horreur** dans lequel il joue malgré lui.

— **MAGGIE? ÇA VA?**

— **Mm...**

Et soudainement, des branches qui craquent et des feuilles froissées alertent le garçon.

— **MAGGIE ? T'AS ENTENDU ?**

— **Mmm...**

— Louis ? chuchote Charlie, est-ce que c'est toi ? Louis ?

SCÈNE

23

DANS UN RAYON DE LUNE

Personne ne répond à l'appel de Charlie. Par contre, les bruissements et les **CRAQUEMENTS** semblent s'étendre à un plus grand périmètre. Ça bouge, dans le bois. Ça grouille. Les lieux sont en train d'être investis par on ne sait quoi. Serait-ce une horde de loups ? Des coyotes ? Des lynx ? On en a vu, des lynx, paraît-il, le printemps dernier. « Est-ce qu'on va finir **DÉVORÉS** par des bêtes sauvages ? se demande Charlie. Ce serait le comble. Mais la bonne nouvelle, c'est que ça ruinerait le scénario du maniaque. »

Sur le bord de la rivière, Sangris pousse tout à coup un cri de victoire.

— **LOUIS!** Caché sous une souche! **BiEN ESSAYÉ!** Maintenant, viens te laver. Il faut que tu sois présentable pour notre film!

Du pied, le criminel pousse le garçon, qui déboule la petite butte où il avait réussi à se réfugier. Un **PLOUF** sinistre informe Charlie que le garçon est tombé dans l'eau.

— **NOOOON!** Sortez-le de là! crie Maggie. Il sait pas nager!

— Tiens donc, répond le maniaque d'une voix détachée. Tant pis pour lui. Il n'avait qu'à pas se salir. On n'a pas d'habilleuse sur le plateau.

Les bruits d'éclaboussures et d'eau agitée que Charlie discerne lui laissent imaginer que Louis se débat dans l'eau pendant que le Cinéaste le filme.

Puis, alors que Charlie soupire, en proie à une profonde lassitude, des voix retentissent.

— HAUT LES MAINS !

Éclairés par les rayons de la lune, des policiers casqués, en combinaison noire, surgissent entre les arbres.

Ils sont nombreux à se déployer sur le terrain. Tandis que deux d'entre eux s'occupent de sortir Louis de l'eau et de lui prodiguer les premiers soins, d'autres maîtrisent le Cinéaste, qui ne s'attendait pas du tout à cette **intrusion dans son scénario**. Aussi, il se débat et crie comme un damné pendant qu'on lui passe les menottes.

Pendant ce temps, on libère Maggie et Charlie.

— **Comment ça va ?** demande une policière en couvrant Charlie d'une couverture.

— Je vais bien, merci. Il y a deux secondes, je n'espérais plus rien de rien… Puis, la lune a exaucé mon souhait et vous êtes arrivés !

— **Tiens !** Des forces mystérieuses qui exaucent des vœux ! Tu crois au surnaturel, maintenant ? s'écrie Maggie.

Sur le bord de la rivière, des ambulanciers auscultent Louis, écoutent ses poumons, le couvrent d'une couverture chaude. Malgré ses mésaventures, il a du mal à rester en place. Il veut à tout prix rejoindre les autres.

— J'ai bu de l'eau de la rivière, probablement pleine d'embryons de sangsues, de têtards et d'œufs de patineuses, explique-t-il à sa sœur et à Charlie entre deux quintes de toux, grelottant. Vous imaginez...

YARK !

— Il va sûrement te pousser des écailles et des pustules, réplique sa sœur, qui tente de faire de l'humour pendant qu'on lui soigne le pied.

— **OUAIS...** Tu vas sûrement te transformer en zombie-lézard, dit Charlie, avec un pâle sourire.

— Je pensais qu'il en était déjà un, lâche Maggie.

Les trois jeunes éclatent franchement de rire. Au-dessus d'eux, le ciel est en train de changer de couleur. Le jour se lève. La nuit, les cauchemars et l'horreur, tout ça est terminé.

— Ça fait du bien de rire, **HEiN ?** demande Louis avant de se remettre à tousser. Je pensais que je ne rirais plus jamais de ma vie.

— Moi, répond Maggie, je croyais que ma vie était finie.

— Mais on a survécu, répond Charlie, qui n'a jamais été aussi heureux d'être en compagnie de ses meilleurs amis.

Tandis qu'on entraîne le Cinéaste, vociférant, vers un fourgon cellulaire stationné dans le chemin qui mène au chalet, un policier demande aux enfants :

— Est-ce qu'il y a d'autres per-
sonnes avec vous qui auraient besoin
de soins?

— **Mes parents !** s'exclame Charlie.

Des policiers et des ambulanciers les
accompagnent au chalet. À travers
la fenêtre de la cuisine, on aperçoit
Jimmy et Stéphanie, qui sont dans
la même position qu'au moment où
Maggie et Charlie ont fui le Cinéaste
en se réfugiant dans le hangar.

À l'instant où ils entrent dans la
cuisine, les parents de Charlie commencent à bouger.

— On leur a administré un puissant
sédatif, explique un ambulancier en

prenant les signes vitaux des deux adultes. Edmoutt Sangris a réussi à en voler plusieurs seringues à l'infirmerie de la prison avant de s'évader. Ne t'en fais pas : les effets du produit commencent à se dissiper. Tes parents devraient bientôt se réveiller.

Pendant qu'un agent prépare des boissons chaudes et de quoi manger aux jeunes, une autre prend leur déposition, tandis que, dans la cour, des camions de la télé et des journaux affluent. La nouvelle de **l'arrestation du Cinéaste** s'est rapidement répandue et les journalistes sont avides d'en savoir davantage au sujet de sa cavale, de ses victimes et de ce qui s'est passé la nuit précédente.

Dehors, l'animatrice d'une chaîne de nouvelles en continu explique :

— C'est une serveuse du restaurant du village qui a servi du café à Sangris alors qu'il venait juste de s'évader de prison qui l'a reconnu en regardant les nouvelles, cette nuit. Se souvenant qu'il avait posé des questions sur les artistes propriétaires du chalet, elle a communiqué avec les policiers. Heureusement, tout est bien qui finit bien pour les vacanciers. Quant au Cinéaste, il vient tout juste de reprendre le chemin de la prison, d'où, nous l'espérons, il ne sortira **plus jamais...**

***

— Eh! Voulez-vous me dire ce qui se passe ici? demande Jimmy, qui se réveille en s'étirant. **OUCH!**

— Bougez lentement, lui explique un ambulancier. Vous êtes courbaturé parce que vous avez dormi sans bouger durant de longues heures.

— Ah… j'ai mal à la tête comme c'est pas possible, dit à son tour Stéphanie en ouvrant les yeux. On dirait que j'ai un marteau dans le crâne.

— C'est un effet secondaire du sédatif qu'on vous a administré hier soir, dit l'ambulancier en lui servant un verre d'eau. **Buvez**. Ça va vous aider.

— Un sédatif? **VOYONS DONC !** J'en ai manqué un petit bout, on dirait.

— Pas juste un petit ! lance Louis.

En apercevant le garçon, les parents de Charlie poussent un long soupir de soulagement.

Puis, en écoutant le récit de la nuit terrifiante qu'ont vécue les enfants, ils passent par toute une gamme d'émotions.

— On n'aurait pas pu imaginer pire scénario, dit Jimmy en blêmissant.

— Dire que tout ce temps-là, on dormait ! ajoute Stéphanie, horrifiée.

— Bah, répond Maggie, si on doit trouver un point positif à cette histoire, c'est que j'ai eu l'impression de vivre un stage intensif de **cinéma d'épouvante**.

Son commentaire fait sourire Charlie.

— Moi, dit-il, j'ai vaincu ma peur du noir.

Louis avale une bouchée gigantesque de céréales. Il est affamé, il n'a pas mangé depuis hier midi.

— Bien moi, je pense que je vais m'inscrire à des cours de natation.

— **MOURIS,** répond sa sœur. Tu pourrais déjà franchir une étape en prenant une douche. **TU SENS LE POISSON !**

Charlie sourit. Louis donne une pichenotte à sa sœur, qui crie avant de le pincer en retour. Si Maggie et Louis recommencent à se chamailler, pensent Jimmy et Stéphanie, c'est que les choses rentrent dans l'ordre.

— Comment vous sentez-vous ? demande un policier aux jeunes.

— Mon pied me fait mal, répond Maggie, mais sinon, je me sens bien.

— Moi aussi, ajoute Louis. Puis ça ne me pique toujours pas. Je ne suis donc pas tombé dans l'herbe à puce, finalement, l'autre jour. **YAOUH !**

— Ben si vous êtes en forme, on pourrait finir notre film. Qu'est-ce que vous en dites ? demande Charlie en tâtant discrètement la poche de son chandail kangourou.

***

Un peu plus tard, alors que la police, les ambulanciers, la télé et les journalistes ont quitté les lieux, Charlie prend ses amis à part et leur montre la caméra, qu'il a sciemment omis de remettre aux autorités.

— Elle contient sûrement des images intéressantes d'Edmoutt Sangris. Il s'est filmé à coup sûr pour tester sa caméra, ses moniteurs. Il faudrait visionner ces vidéos. Certaines pourraient peut-être servir dans notre film. Imaginez, ça s'est jamais vu dans toute l'histoire du cinéma. En tout cas, pas à ma connaissance. Bref, on pourrait glisser quelques images de lui dans notre œuvre. Comme ça, on pourrait écrire dans notre générique : **« Le premier film d'horreur avec un vrai maniaque. »**

***

RAPPORT D'EXAMEN PSYCHIATRIQUE

Par le docteur Donald D. Leyrium

Numéro de dossier : 103697 - 2018

Nom du patient : Edmoutt Sangris

Numéro de chambre : A637

Le patient, qui refuse qu'on l'appelle autrement que par son surnom, c'est-à-dire le Cinéaste, est très agité depuis son arrivée au centre carcéral. Voici un extrait de la transcription de la conversation que nous avons eue avec lui, qui a été filmée.

DR D. LEYRIUM :
Dans la déclaration que vous avez
faite à la police, vous dites qu'une
caméra a été oubliée sur les lieux où
vous avez été arrêté. Est-ce exact ?

ED. SANGRIS :
Elle n'a pas été oubliée. C'est l'un des
jeunes, Charlie, qui me l'a volée et qui
ne l'a pas remise à la police.

DR D. LEYRIUM :
En fait, cette caméra ne vous appar-
tient pas. Vous l'avez vous-même
volée dans un commerce avant de
vous rendre au chalet de vos victimes.
D'ailleurs, pourquoi pensez-vous
qu'on aurait caché à la police un objet
qui vous incrimine ?

ED. SANGRIS :
(Il hausse le ton, la peau de son visage s'empourpre et se couvre de sueur.) C'est moi, la victime, là-dedans ! Les jeunes ont pris la caméra pour me voler MES images ! Ils veulent les utiliser pour faire leur film, c'est évident ! C'est du vol !

NOTE :
À partir de ce moment, le discours du patient devient incohérent et entrecoupé de rires incontrôlables. Sangris se met ensuite à répéter inlassablement : « Je vais revenir. (Rires) Oh oui. (Rires) Je vais les surprendre au moment où ils m'auront oublié, quand ils se sentiront en sécurité... (Rires) Je vais revenir pour terminer mon film. (Rires) »

Compte tenu des propos et de l'agitation du patient, nous recommandons
qu'il soit étroitement surveillé. Nous
croyons qu'il présente un haut degré
de dangerosité et de récidive, et qu'il
pourrait tenter à nouveau de s'évader,
à court ou à moyen terme.

TABLE DES MATIÈRES

DANS LA COLLECTION

POLICIER

 ENQUÊTES

TERREUR DANS LA CLASSE DE SIXIÈME

TERREUR À L'AUBERGE DU LAC

LES 4Z OPÉRATION CASSE-CROÛTE

LES 4Z VAMPIRES ET TARTES AUX FRAISES

TERREUR À LA CLINIQUE DOODLE

TERREUR CHEZ LES MUSICIENS

LES 4Z ZOMBIES ET CARAMEL AU BEURRE

LES 4Z DANGER! YÉTI AFFAMÉ!

 SUSPENSE

EXPÉDITEUR INCONNU

DOCTEUR SINISTRE

UN MANIAQUE AU CHALET

LES 4Z MARTIENS ET BOULE DE GOMME SURETTE